Mulheres cheias de graça

BETTY JANE GRAMS

Mulheres cheias de graça

novos estudos para mulheres sobre a vida no Espírito

2. edição revista e atualizada

Vida

EDITORA VIDA
Rua Conde de Sarzedas, 246 - Liberdade
CEP 01512-070 - São Paulo, SP
Tel.: 0 xx 11 2618 7000
Fax: 0 xx 11 2618 7030
www.editoravida.com.br

© 1978, de Betty Jane Grams
Título do original:
Women of Grace
edição publicada por
GOSPEL PUBLISHING HOUSE
(Springfield, Missouri, EUA)

∎

Todos os direitos desta tradução em língua portuguesa reservados por Editora Vida.

PROIBIDA A REPRODUÇÃO POR QUAISQUER MEIOS, SALVO EM BREVES CITAÇÕES, COM INDICAÇÃO DA FONTE.

∎

Scripture quotations taken from Bíblia Sagrada, *Nova Versão Internacional*, NVI ®.
Copyright © 1993, 2000 by International Bible Society ®. Used by permission IBS-STL U.S. All rights reserved worldwide.
Edição publicada por Editora Vida, salvo indicação em contrário.

∎

Editor responsável: Sônia Freire Lula Almeida
Editor-assistente: Gisele Romão da Cruz Santiago
Tradução: Hagar Aguiar Caruso
Edição: Edna Guimarães e Maria Emília de Oliveira
Revisão: Esther Oliveira Alcantara
Diagramação: Set-Up Time e Claudia Fatel Lino
Capa: Arte Peniel

Todas as citações bíblicas e de terceiros foram adaptadas segundo o Acordo Ortográfico da Língua Portuguesa, assinado em 1990, em vigor desde janeiro de 2009.

1. edição: 1991

2. edição rev. e atual.: mar. 2006

1ª reimpressão: set. 2009 (Acordo Ortográfico)
2ª reimpressão: abr. 2010
3ª reimpressão: jun. 2011
4ª reimpressão: out. 2011
5ª reimpressão: jun. 2012
6ª reimpressão: jun. 2013
7ª reimpressão: ago. 2015
8ª reimpressão: maio 2016

Dados Internacionais de Catalogação na Publicação (CIP)
(Câmara Brasileira do Livro, SP, Brasil)

Grams, Betty Jane
    Mulheres cheias de graça: novos estudos para mulheres sobre a vida no espírito / Betty Jane Grams; tradução Hagar Aguiar Caruso. — 2. ed. rev. e atual. — São Paulo: Editora Vida, 2009.

    Título original: *Women of Grace*
    ISBN 978-85-383-0131-8

    1. Mulheres cristãs — Vida religiosa 2. Mulheres na Bíblia I. Título.

09-00605   CDD-248.843

Índice para catálogo sistemático:
1. Mulheres : Guias de vida cristã : Cristianismo 248.843

Sumário

Introdução   7

Como usar este livro   11

1. Como cresce o seu jardim?   13
2. O amor   29
3. A alegria   44
4. A paz   62
5. A paciência   82
6. A amabilidade   101
7. A bondade   118
8. A fé   135
9. A mansidão   153
10. O domínio próprio   172

Introdução

UM LIVRO PREPARADO
ESPECIALMENTE PARA MULHERES

"As mulheres evangélicas leem todo tipo de literatura e estudam os mais diferentes assuntos. Quando vamos preparar algo nosso para elas?" A pergunta, vinda de uma amiga, chamou-me a atenção. Era semelhante às que tínhamos ouvido após os retiros de liderança de mulheres no Chile e na Argentina.

Este livro nasceu de uma necessidade evidente. A semente foi lançada quando meu marido e eu visitávamos cerca de 200 lares de pastores durante nossas férias anuais fora do campo missionário. Mães e esposas vinham conversar comigo, e os jovens abriam o coração de maneira franca.

Ouvi atentamente as indagações que me faziam. Vi a necessidade de aprender a *viver* aquilo em que se crê, de fazer uso dos conceitos da Palavra de Deus no viver diário, de produzir fruto e de imitar Cristo na vida cotidiana.

Sim, adoramos o Senhor em nossas igrejas pentecostais, igrejas onde habita o Espírito Santo. Os dons do Espírito manifestam-se nos cultos que realizamos. Esse é o nosso testemunho característico, a riqueza de nossa herança, uma vida cheia do Espírito.

Percebemos que há diretrizes importantes capazes de atrair as mulheres para uma vida e um ministério ungido pelo Espírito Santo. Testemunhamos e exercemos os dons de línguas e de interpretação, o dom de profecia, em confirmação à pregação da Palavra, mas precisamos considerar o fruto do Espírito, o qual deve começar a ser cultivado em nossa vida no momento em que recebemos Cristo.

É nele, Cristo, que nos tornamos nova criação. A velha natureza, com os antigos conceitos, desejos e modos de reagir, pertence ao passado, pois vivemos e agimos de maneira nova — pelo Espírito — e somos guiadas por ele paulatinamente.

Meu sogro, ao relatar-me a experiência de um vizinho que gostava muito de dar seu testemunho na igreja, acrescentou: "Observem que a mulher e os filhos dele abaixam a cabeça quando ele fala".

No lar, diante do marido e dos filhos, a mulher é transparente. São muitos os jovens que me dizem: "Quem dera minha mãe vivesse em casa o que testemunha na igreja e nas reuniões de mulheres". Devemos, portanto, estar dispostas a crescer e a mudar à medida que o Espírito nos guia, a fim de mostrar a nossos filhos e ao marido como Jesus Cristo realmente é.

É fundamental que o Espírito Santo nos oriente neste livro de estudos bíblicos para mulheres. Nas páginas a seguir, destaco o tipo de pessoa que *somos* na essência, e não o tipo de ministério que *exercemos*. O Espírito Santo deseja ajudar-nos a produzir frutos, o que exige que nos tornemos cada vez mais semelhantes a Cristo. Só assim seremos mulheres cheias de graça, que atraem outras mulheres ao Senhor.

À medida que o fruto do Espírito se desenvolve em nós, podemos reparti-lo com a família, os vizinhos, a igreja e o mundo.

A Palavra de Deus transforma — é o que desejamos.

Frutificação é do que trata este livro. Desse modo, estaremos aptas para viver neste mundo como mulheres verdadeiramente transformadas — mulheres cheias de graça.

Que a beleza de Cristo se veja em mim,
Toda a sua admirável pureza e amor.
Ó tu, chama divina, todo o meu ser refina,
Até que a beleza de Cristo se veja em mim.

Betty Jane Grams

Como usar este livro

1) Tenha à mão sua Bíblia de uso pessoal.
2) Use lápis e caderno para anotações.
3) Consulte as referências bíblicas. Este estudo não é exaustivo. Deus falará com você durante a leitura e o estudo dos textos. Ele lhe dará ideias de como deseja que *você* cresça.
4) Comece um arquivo. Quando encontrar artigos de seu interesse em periódicos, revistas ou outras fontes de informação, recorte-os e guarde conforme a categoria. O crescimento não ocorre em "dez simples etapas". É algo para a vida toda; continue crescendo no Senhor.

5) Use diversas versões da Bíblia para comparação.

6) Utilize alguns objetos simples para ilustrar as ideias de cada lição. (Vou sugerir alguns.) As ilustrações não precisam ser complicadas; lembre-se de que até os adultos aprendem com o auxílio de figuras.

7) Você vai encontrar listas e autoavaliações breves. Responda às perguntas no próprio livro ou em seu caderno de anotações.

8) Para cada lição, reserve uma página com o seguinte cabeçalho: "Perguntas que desejo fazer em nossas reuniões". Assim, você não se esquecerá da(s) pergunta(s) que surgir(em) durante seu estudo individual.

1

Como cresce o seu jardim?

Uma vida frutífera ou fracassada

Que tipo de mulher você é? Não resta dúvida de que Deus teve um motivo especial para incluir na Bíblia pequenos detalhes da vida pessoal de diferentes mulheres. Na extensa lista de mulheres na Palavra de Deus, destacam-se: Eva, nossa primeira mãe; Sara, a mãe de uma grande nação; Rebeca, Raquel, Joquebede, Miriã, Raabe, Rute, Ana, Maria, Dorcas, Priscila, Trifena e Trifosa, as gêmeas amigas de Febe, grande diaconisa da Igreja.

Na vida dessas mulheres da Bíblia, encontramos alguns problemas semelhantes aos nossos, reflexo de situações da época vivida. Lemos acerca da ira, dos complexos e dilemas, da rebeldia, das reações, fraquezas e forças dessas mulheres. Lemos a respeito de seus familiares, filhos, marido, lar, ocupação, preocupações, alegrias e tristezas. Algumas mulheres eram altivas; outras, mansas; umas confiáveis; outras, enganadoras. Há um motivo muito especial que levou Deus a incluir em sua Palavra um retrato tão completo dessas mulheres, destacando a complexidade e as características da personalidade de cada uma.

Ouvi algumas mulheres dizerem: "Quem dera eu tivesse vivido nos tempos bíblicos! Eu poderia ser melhor, mais parecida com Jesus". Elas se esquecem de que hoje temos o Espírito Santo, que nos ajuda em nosso crescimento espiritual. Essa gloriosa verdade fica cada vez mais viva à medida que vemos Deus derramar seu Espírito sobre todos os povos. É importante notar que o Espírito Santo incluiu mulheres no cumprimento da profecia de Joel 2.28,29, no Antigo Testamento. Para os nossos dias, a promessa é reiterada em Atos 2.17,18: " '[...] Os seus filhos e as suas filhas profetizarão [...]. Sobre os meus servos e as minhas servas derramarei do meu Espírito [...], e eles profetizarão' ".

Atualmente, Deus está escolhendo mulheres que estão recebendo a plenitude do Espírito Santo e servindo ao Senhor em todo o mundo. Na América Latina, na África, na Ásia, na Austrália, na Europa e na América do Norte, as mulheres estão sendo preparadas e usadas como servas de Deus. É mediante a obra do Espírito Santo em nossa vida e por intermédio do crescimento do fruto em nós que ele pode nos usar, assim como usou mulheres da Bíblia.

É necessário, portanto, tornar-nos semelhantes a Cristo e aprendermos a manifestar mais de seu caráter em nós. Ao estudarmos as experiências e a vida de diferentes mulheres da Bíblia, encontraremos ajuda para nossa própria vida, tanto na solução de problemas quanto na tomada de decisões.

SEU JARDIM ESTÁ PRODUZINDO?

Nossa vida é semelhante a um jardim em que cultivamos todo tipo de plantas. Deus deseja que produzamos frutos. Para isso, devemos estar sempre conscientes, esforçar-nos para impedir o progresso das ervas daninhas e, ao mesmo tempo, permanecer ligadas à Videira que nos dá vida.

Neste estudo, vou concentrar-me na essência de cada fruto do Espírito e analisar de qual forma determinada mulher da Bíblia manifestou esse fruto em sua vida. Desse modo, poderemos aprender a cultivar e manifestar o fruto do Espírito em nós.

1) Você pode identificar cada uma das mulheres da Bíblia na lista apresentada no começo deste capítulo?
2) Sabe algo acerca dos problemas dessas mulheres?

3) Você acha que tem semelhanças com cada uma delas? Em que aspectos?
4) O fruto do Espírito é mencionado em Gálatas 5.22,23. Quantas das nove características você é capaz de citar?
5) Quantas você acha que estão presentes em sua vida?

Procure consultar diferentes versões da Bíblia. Se você costuma fazer o estudo em grupo, convide as integrantes do grupo para compará-las.

Veja, a seguir, uma comparação das palavras empregadas para designar o fruto do Espírito (Gálatas 5.22,23) em duas versões, a Nova Versão Internacional, *NVI*, e a Almeida Edição Contemporânea, *AEC*:

NVI	AEC
1) amor	amor
2) alegria	gozo
3) paz	paz
4) paciência	longanimidade
5) amabilidade	benignidade
6) bondade	bondade
7) fidelidade	fidelidade
8) mansidão	mansidão
9) domínio próprio	domínio próprio

Obs.: Quando ministro esses estudos, escrevo as referências da lição em tiras de papel e as distribuo entre as mulheres antes do início da aula. Desse modo, elas estarão preparadas para ler os textos sem perda de tempo.

RECEITA PARA A VIDA FRUTÍFERA

A versão de J. B. Phillips, *Cartas para hoje*,[1] torna o texto de Gálatas 5.16-23 bastante compreensível:

> Este é meu conselho: vivam integralmente no Espírito e não satisfarão os desejos de sua natureza inferior. Pois toda a energia da natureza inferior está voltada contra o Espírito, enquanto todo o poder do Espírito é contrário à natureza inferior. Aí está o conflito, e é por isso que vocês não são capazes de fazer o que querem. Mas, se seguirem a orientação do Espírito, estarão livres da Lei.
>
> Os atos da natureza inferior são óbvios. Aqui está uma lista: imoralidade sexual, impureza mental, sensualidade, adoração de falsos deuses, feitiçaria, ódio, brigas, ciúme, mau humor, rivalidades, facções, partidarismo, inveja, bebedeira, orgias e coisas desse tipo. Garanto-lhes solenemente, como já fiz antes, que aqueles que se entregam a tais coisas jamais herdarão o Reino de Deus. O Espírito, contudo, produz este fruto na vida humana: amor, alegria, paz, paciência, bondade, generosidade, fidelidade, tolerância e autocontrole — e não existe lei contra nenhuma dessas coisas.

A maneira de viver em liberdade é pelo Espírito. Se temos a vida centrada no Espírito, deixemos que ele nos guie.

---

[1] Vida Nova, 2001.

A Palavra de Deus usa aqui duas figuras: o *andar*, que é a manifestação do crescimento natural de uma criança, e o *produzir fruto*, a manifestação natural de um jardim. As videiras e as folhas verdes são belas aos olhos, mas é o fruto que tem doçura, dá sustento e sementes para a reprodução. Vamos, portanto, produzir fruto em nosso jardim!

O FRUTO E OS DONS

Como pentecostais, temos consciência da atuação do Espírito Santo e sabemos que nosso testemunho peculiar é a plenitude do Espírito de Deus, que abre a porta para os dons citados em 1Coríntios 12 e 14. Hoje em dia, ouvimos em alto e bom som a palavra *carismático*. Nos principais periódicos evangélicos e mesmo nos meios de comunicação não-cristãos, encontramos informações a respeito desse derramamento carismático. Na verdade, a atuação silenciosa do Espírito Santo tem a mesma importância na produção do fruto em nosso viver diário.

Deve haver equilíbrio entre os dons e o fruto do Espírito em nós. É interessante notar que há nove características do fruto e nove dons. Tanto um quanto outros são divinos, sobrenaturais. Provêm das mãos de Deus, não são fabricados. A espiritualidade não é algo que surja do nada ou que se remova com água, nem tampouco pode ser vestida e depois retirada. É fruto que se produz em nossa vida, num processo contínuo.

Comparando-se o fruto e os dons do Espírito, teremos a seguinte relação:

Fruto	Dons
Interno, volta-se para o caráter	Externos, voltam-se para o ministério
Ser	Fazer
Comportamento	Convicção
Prática	Ministração
Requer tempo	Concedidos imediatamente
Cresce e amadurece	Perfeitos e constantes

PRÉ-REQUISITOS PARA A PRODUÇÃO DO FRUTO DO ESPÍRITO

1) Regeneração.

    A árvore deve ser sadia desde a raiz (Mateus 7.16-20).

2) União com Cristo pelo Espírito.

    Cristo é a videira; brotamos dele, pois nós somos os ramos. Devemos permanecer na Videira para crescer e produzir frutos (João 15.1-8).

3) Desejo de andar no Espírito.

    Não somos robôs (Gálatas 5.16-25).

4) Reconhecimento da lei da semeadura e colheita.

Aqui, seria conveniente que a dirigente do grupo mostrasse uma batata, uma espiga de milho e uma fruta para ilustrar a lição segundo a qual o fruto que se colhe está diretamente relacionado ao tipo de semente que se planta (Gálatas 6.7,8).

COMPARAÇÃO ENTRE O FRUTO DO ESPÍRITO E AS OBRAS DA CARNE

Leia Gálatas 5.19-21 e Colossenses 3.5-9. Antes de estudar de forma mais detida cada uma das características do fruto, vejamos como o Espírito começa sua obra em nós. As passagens bíblicas que acabamos de ler mencionam as diferentes atividades ou inclinações da natureza pecaminosa — as pragas de nosso jardim. Verificando as duas referências bíblicas, encontramos 21 palavras ou expressões que definem a guerra em nossa natureza.

Isso significa que as obras de nossa natureza carnal, natural, pré-cristã, têm uma base ampla. Há mais trevas do que luz em nossa natureza. A lista revela mais que o dobro das obras da carne comparadas ao fruto do Espírito. Poderíamos comparar essa situação ao tecido de veludo preto em que o joalheiro expõe suas jóias. Deus quer que reconheçamos o brilho do fruto produzido por ele, por isso ele o põe contra um fundo totalmente escuro para mostrar o contraste.

Quando examinamos essa lista, dizemos: "Não, eu não tenho problemas com sexo ilícito, orgias nem embriaguez". Examine a lista de novo; ela contém ódio, inveja, ciúmes, discórdia, rivalidade, ira, facções. Se analisarmos sinceramente nossa vida em face dessa lista, o que veremos? Gálatas 5.15 diz: "Mas se vocês se mordem e se devoram uns aos outros, cuidado [...]". Você é maldosa? Faz comentários maledicentes? Isso indica insegurança: você está sempre querendo puxar o tapete de alguém.

Você é ciumenta? Qual é a sua reação quando outra pessoa obtém a promoção que você desejava? Está sempre preocupada em ter tudo o que os vizinhos têm? Lembra-se da última discussão provocada por aquela sua crise de temperamento?

Mais tarde, você se arrepende de ter dito todas aquelas mesquinharias, mas você as deixou sair facilmente dos lábios, como as penas de um travesseiro levadas pelo vento. Não há como as recuperar e colocar de volta no lugar.

Isso significa que precisamos pedir a Deus o fruto do Espírito, pois sua Palavra diz que os *complacentes* com as trevas dos instintos naturais não herdarão o Reino de Deus. Isso é terrivelmente claro, não é? *Complacência* com as trevas — que expressão forte! Significa que permitimos que as ervas daninhas cresçam quando as adubamos.

DISCÓRDIAS?

Certa vez eu estava tocando piano numa reunião de oração, quando ouvi um alvoroço na porta da igreja. Dois cristãos discutiam! De repente, um atacou o outro e arrancou-lhe da mão um molho de chaves. Um deles retirou-se cabisbaixo; o outro entrou e, com toda a tranquilidade, participou da reunião. Meu coração parecia pedra, pois eu tinha ouvido o som do sino que ressoa (1Coríntios 13).

Em outra ocasião, voltando para casa após o culto, vi a professora das mulheres da escola dominical entrar zangada no carro. Alguém a havia provocado. Nesse instante, sua filha perguntou o que teriam para o jantar. Como resposta, ela lhe deu um tapa na boca acompanhado de um irritado "Não me amole!".

Conheci uma pessoa bastante ativa na igreja que frequentava, mas que se mudava de casa sem pagar o aluguel nem as contas da mercearia. As pessoas que assim agem, embora membros de igreja, não produzem o fruto do Espírito. Precisamos ser palavra viva de Deus, sinceras e autênticas. Se permanecermos na Videira, Cristo será visível em nós.

A PODA FERE — E AJUDA!

O que faz o jardineiro ao caminhar de um lado a outro, examinando o jardim? Pega a tesoura e corta, apara, apara, apara. Todas as partes mortas, todos os galhos infrutíferos, todos os ramos inúteis são removidos. Às vezes, as pilhas de galhos têm muito mais ramos do que a planta de onde saíram.

Você já viu um roseiral depois da poda? Ou já morou numa região com parreiras? A maneira que elas são "cortadas", sem piedade, é de fazer qualquer um estremecer. Essas plantas ficam tão nuas que nos perguntamos se voltarão a ter vida novamente, com galhos, folhas e flores. O viticultor, porém, sabe o que faz. A poda cuidadosa permite que a seiva flua com mais vigor para a produção do fruto.

(Corte um ramo, mostre-o a seu grupo e deixe-o de lado até que fique seco. A lição prática é: se não permanecermos na Videira, murcharemos e secaremos, tornando-nos inúteis.)

Feitiçaria. Talvez você diga que não pratica a feitiçaria, mas se deixa que o horóscopo influencie suas ações, então você tem parte nas obras das trevas. A astrologia é contrária ao plano de Deus. Faz parte das trevas, portanto é erva daninha.

Linguagem indecente e mentiras. Você ri quando alguém conta piadas indecorosas? Ou percebe que sua presença santifica seu local de trabalho? As pessoas que convivem com você sabem que sua palavra é honesta e verdadeira? Gosto do que o ex-presidente Eisenhower disse certa vez: "Sempre digo a verdade, pois assim não tenho de me lembrar do que eu disse".[2]

Rivalidade, ciúme, facções, partidarismo, brigas e rivalidades. Essas também são obras da carne, que crescem em plantações não cuidadas, vinhas negligenciadas, vidas que se afastaram da Videira.

É provável que o Viticultor, que deve ter desbastado o nosso jardim durante este estudo, nos convença do pecado e crie entre nós um ambiente de verdadeiro crescimento!

Dentre as obras ou ações da natureza carnal que causam conflito e impedem nosso crescimento estão:

Gálatas 5.19-21

- imoralidade sexual, impureza e libertinagem;
- idolatria e feitiçaria;
- ódio, discórdia, ciúmes, ira, egoísmo, dissensões, facções e inveja;
- embriaguez, orgias e coisas semelhantes.

Colossenses 3.5

- imoralidade sexual, impureza, paixão, desejos maus e ganância

---

[2] Atribuída ao escritor americano Mark Twain (1835-1910), do livro *Mark Twain's Notebook,* 1935 (póstumo). [N. do E.]

Veja, a seguir, uma lista de nomes que todas conhecemos. O seu nome está nesta lista? Em caso positivo, é hora de mudança. Escreva no espaço em branco outro nome que substitua o lado negativo de cada "personagem".

Alice Alienada	Alice Amorosa
Berta Brusca	Berta?
Catarina Caluniosa	_____
Dalva Desdenhosa	_____
Elisa Escandalosa	_____
Florinda Fuxiqueira	_____
Glória Gritalhona	_____
Hilda Herege	_____
Irene Irascível	_____
Júlia Julgadora	_____
Lídia Leviana	_____
Marta Maliciosa	_____
Nair Negativista	_____
Olívia Ociosa	_____
Patrícia Preguiçosa	_____
Quirina Questionadora	_____
Rosa Rixenta	_____
Sarita Superficial	_____
Teresa Tirana	_____
Úrsula Usurária	_____
Vera Vaidosa	_____
Zaíra Zangada	_____

AVALIE SEU JARDIM DE ATITUDES

Com que frequência você tem estas atitude?

Marque 1 para raramente; 2 para às vezes; e 3 para com frequência.

Você...

1) Grita com seu marido? _____
2) Queixa-se dos vizinhos? _____
3) Grita com os filhos? _____
4) Abre a correspondência dos filhos? _____
5) Critica os amigos deles? _____
6) Desmerece os professores deles? _____
7) Perde a calma? _____
8) Espanca os filhos? _____
9) Critica seu pastor? _____
10) Anda com roupa suja? _____
11) É queixosa? _____
12) Reclama seus direitos? _____
13) Visita as amigas enfermas? _____
14) Agradece aos filhos a ajuda? _____
15) Enfeita a casa com flores? _____
16) Elogia seu marido? _____

17) Respeita seu pastor? _____
18) Recebe os filhos com amor? _____
19) Mostra afeto no lar? _____
20) Fala com tranquilidade? _____
21) Sorri para balconistas ou atendentes? _____

Seja grande o bastante

Seja grande o bastante para viver a vida que Deus lhe deu,
Sem ser atingida pelo egoísmo nem pela avareza.
Mantenha-se livre de hábitos tolos que a escravizem,
Seja grande o bastante para suprir sua maior necessidade.
Seja grande o bastante para falar a verdade — e praticá-la,
Conserve seus ideais mesmo que os céus venham abaixo.
Não espere recompensa, mas seja rápida em oferecê-la.
Seja grande o bastante para atender ao mais humilde apelo.

Seja grande o bastante para sorrir quando tudo ao seu redor,
Seu mundo verdadeiro, se desfaz no pó.
Tenha coragem o bastante para lutar quando seus amigos duvidam de você.
Seja grande o bastante para conservar a confiança e a fé.
Seja grande o bastante para que os anos que se sucedem

Não a encontrem lastimando-se pelos anos que já passaram.
Seja rápida o bastante para livrar-se dos preconceitos que a amarram,
Seja grande o bastante para conservar a mente aberta.

Seja grande o bastante para dizer: eu estava errada.
Seja tardia para ofender, mas rápida para perdoar.
Deixe que a piedade, a justiça e o amor despertem em seu coração.
Seja grande o bastante, e bastante bondosa, para viver.

— Anônimo

2

O amor

Maria, irmã de Lázaro — uma vida derramada em amor

Marcos 14.3-9 e João 12.1-9

Maria olhou pela porta entreaberta e viu os discípulos sentados à mesa ao lado de seu irmão Lázaro. Alguns dias antes, ele estava sepultado, por isso ela e a irmã, Marta, se perguntaram aflitas como se arranjariam. As duas irmãs, tristes e enlutadas, haviam ficado sozinhas na casa.

Agora, porém, Jesus estava ali sentado, e tudo era vida ao redor! O Mestre havia dito: "Lázaro, venha para fora!" (João 11.43). Ah, ele também lhe dissera tantas coisas preciosas quando ela se assentara aos pés dele e Marta preparara o jantar!

De repente, Maria sentiu o desejo de fazer algo. Seu coração transbordava de amor e gratidão.

"Mas o fruto do Espírito é amor [...]" (Gálatas 5.22). As palavras são vazias, como poderia ela manifestar sua gratidão?

Então trouxe o que possuía de mais caro. Não tinha joias nem conta bancária, poupança nem ações. Toda semana, porém, Maria depositava um pouquinho de unguento em um frasco de perfume que reservava para o próprio enterro. Uma vez que era solteira, devia antecipar-se e tomar essas providências.

MARIA ESQUECEU-SE DE SI MESMA

Maria entrou sem ser percebida e quebrou a tampa do frasco de alabastro. Não mediu o conteúdo, deixou que o caríssimo perfume de nardo fluísse até a última gota sobre os pés de Jesus, enxugando-os depois com os próprios cabelos. Maria esqueceu-se de si mesma e de todos a seu redor.

"Ó que desperdício!", reclamou Judas,[1] que observava a cena. Ele era o tesoureiro do grupo, e sua mente ágil calculou de imediato que Maria havia derramado perfume equivalente ao total do salário de um ano de um trabalhador braçal. "Isso vale uma fortuna! Poderíamos ter ajudado o orfanato. Poderíamos tê-lo dado a

[1] Adaptado de João 12.4. [N. do E.]

missões! Poderíamos ter expandido a área física da igreja. Que desperdício!"[2]

TODO O PERFUME FOI DERRAMADO

Não havia como recolher nem sequer um pouquinho daquele perfume. Derramou-se totalmente. Maria não reservou nem ao menos uma gota para si mesma. Tratava-se de um ato impulsivo, um gesto afoito, uma atitude tola, sentimental.

JESUS ENTENDE

Vieram, então, as palavras do Mestre: " 'Deixem-na em paz', disse Jesus. 'Por que a estão perturbando? Ela praticou uma boa ação para comigo' " (Marcos 14.6). De vez em quando, necessito dessas palavras. Não temos todas nós a mesma necessidade?

Na condição de mulher, Maria ofereceu tudo o que tinha — as economias de sua vida. O perfume era dela. Talvez tenha parecido uma atitude precipitada, ousada, mas o presente era dela e cabia-lhe o direito de ofertá-lo. Jesus não espera de nós além daquilo que podemos fazer; ele entende.

"Pois os pobres vocês sempre terão com vocês [...]. Mas a mim vocês nem sempre terão" (14.7).

[2] Adaptado de João 12.5. [N. do E.]

Sem dúvida, sempre haverá projetos, trabalho social e pobres em nosso meio. E existirá sempre alguém para criticar — alguém para calcular, para desmerecer, para dizer que deveríamos ter feito diferente. A rejeição pode causar-nos amargura, mesmo quando sabemos que fizemos o melhor. A crítica injusta endurece o coração mais espontâneo.

CONSERVE PUROS OS SEUS MOTIVOS

É sempre compensador produzir fruto com a aprovação de Jesus. Você deve ser motivada pelo amor. Mantenha os olhos em Cristo. Obedeça à chamada do Espírito.

"Ela fez o que pôde. Derramou o perfume em meu corpo antecipadamente, preparando-o para o sepultamento" (14.8). Que maneira estranha de falar, pois Jesus está em perfeita saúde, sentado à mesa e comendo. Ainda há poucos dias ressuscitou Lázaro dos mortos. E disse: "Eu sou o caminho, a verdade e a vida" (João 14.6). Agora o Mestre fala de morte! Que significa isso? Só Jesus e o Pai sabiam que em seis dias ele seria crucificado para dar sua vida em resgate de muitos.

Hoje entendemos, pois estamos contemplando tudo deste lado do Calvário. Não sejamos duras demais com os 12 homens que andaram com o Senhor, comeram em sua companhia e aprenderam com ele. Eles não tinham condições de ver o quadro por inteiro.

Maria, a sensível mulher cheia de graça, teve a percepção espiritual para servi-lo. Ela poderia pensar que outra ocasião seria mais oportuna, mas era plano de Deus que o coração de uma mulher obedecesse ao comando do alto e preparasse, com antecedência, seu Senhor para a cruz.

UMA HOMENAGEM A MARIA

"Eu lhes asseguro que onde quer que o evangelho for anunciado, em todo o mundo, também o que ela fez será contado em sua memória" (Marcos 14.9). Para lembrança dela.

Quase posso sentir a fragrância daquele perfume enquanto escrevo aqui em minha cozinha. O local onde estou me parece repleto daquele unguento. Na Bolívia, senti esse perfume nas índias que visitavam hospitais e caminhavam quilômetros para falar de Cristo aos outros. Na Argentina, senti a mesma fragrância em Beba, uma judia convertida que, ao maquiar estrelas de TV, lhes apresentava Cristo como o único que podia solucionar seus problemas.

Na África e na Alemanha, há o mesmo aroma. Que perfume é esse? É o amor. A fragrância do amor tem-se feito sentir através dos séculos. Hoje senti-a ao ver uma amiga de 58 anos de idade abaixar-se para ensinar dois meninos abandonados a trabalhar com argila. O quarto dessas crianças cheirava a comida de gato estragada. A mãe dos garotos estava presa, acusada de envolvimento com drogas. Mas percebi a fragrância do amor atuando ali mesmo, naquela área tão carente. O perfume do amor, suave e perceptível, encobria todos os demais odores. Essa mesma fragrância pode ser sentida também em seu lar.

A LEI DO AMOR

Maria será lembrada onde quer que o evangelho seja pregado. Essa mulher terna é reconhecida porque derramou sobre os pés de Jesus tudo quanto possuía. Essa é a lei do amor. Pode-se dar sem amar, mas não se pode amar sem dar.

Lembro-me de quando minha filha Raquel, na época com 4 anos, utilizou uma escada para pegar uma flor de origem escocesa (talvez a única flor que cresce em altitudes de mais de 4 mil metros acima do nível do mar). Você pode até estar pensando que não passava de uma erva daninha. Sim, talvez fosse, mas Raquel colheu-a com todo o amor do coração para o meu aniversário. Coloquei-a num vaso.

No mesmo dia, um joalheiro amigo de nossa família presenteou-me com uma grande pedra de água-marinha, a minha preferida. Mais tarde, ofereceu-se para me fazer um anel com ela. Confiante, entreguei-lhe a pedra. Seria um grande negócio, mas ele nunca a devolveu. A fragrância da flor de Raquel é incomparavelmente mais doce.

NÃO SE PODE GUARDAR O AMOR

O amor não pode ser guardado, não acumula reservas. "Por que esse desperdício?", foi a crítica que nos fizeram há muitos anos, quando meu marido e eu, ainda jovens, nos preparávamos para ir como missionários ao centro da América do Sul. Alguns familiares nossos, profissionais de diversas áreas, com bons empregos, disseram-nos: "Por que vão desperdiçar a vida de vocês?".

Não se pode economizar o amor; não se pode acumulá-lo. Para que o amor cresça, é preciso doá-lo. Meu coração canta:

> Tudo para Jesus, tudo para Jesus,
> Todos os meus dias e as minhas horas todas,
> Tudo para Jesus, tudo para Jesus,
> Todas as forças de meu ser liberto.

O HINO DO AMOR

Gostaria de falar sobre o hino que Paulo escreveu acerca do amor, o maravilhoso capítulo do amor (1Coríntios 13), consultando várias traduções. Acredito que a pureza da Palavra aplicada à nossa vida aqui é como o nível do carpinteiro e a lupa do joalheiro, instrumentos que medem ou perscrutam minuciosamente para verificar o valor intrínseco do objeto.

Esse capítulo do amor encontra-se entre os capítulos 12 e 14, que ministram instruções para a operação dos dons do Espírito em nossa vida e na vida da Igreja.

Leia todo o capítulo 13 na Nova Versão Internacional (*NVI*). O primeiro versículo afirma que, mesmo que falemos em línguas, se o nosso testemunho não for motivado pelo amor, ele será falso, e ninguém nos dará ouvidos. Os versículos 2 e 3 lembram que, mesmo tendo o dom de profecia, saiba de todos os mistérios e todo o conhecimento, e mesmo que entregue tudo aos pobres, se eu não tiver amor, nada disso me valerá. Agora vejamos os versículos 4-7 em três versões diferentes.

Bíblia Viva

> *O amor é muito paciente e bondoso, nunca é invejoso ou ciumento, nunca é presunçoso nem orgulhoso, nunca é arrogante, nem egoísta, nem tampouco rude. O amor não exige que se faça o que ele quer. Não é irritadiço, nem*

melindroso. Não guarda rancor e dificilmente notará o mal que outros lhe fazem. Nunca está satisfeito com a injustiça, mas se alegra quando a verdade triunfa. Se você amar alguém, será leal para com ele, custe o que custar. Sempre acreditará nele, sempre esperará o melhor dele, e sempre se manterá em sua defesa.

Almeida Edição Contemporânea

O amor é paciente, é benigno. O amor não inveja, não se vangloria, não se ensoberbece. Não se porta inconvenientemente, não busca os seus próprios interesses, não se irrita, não suspeita mal. O amor não se alegra com a injustiça, mas se regozija com a verdade. Tudo sofre, tudo crê, tudo espera, tudo suporta.

Nova Tradução na Linguagem de Hoje

Quem ama é paciente e bondoso. Quem ama não é ciumento, nem orgulhoso, nem vaidoso. Quem ama não é grosseiro nem egoísta; não fica irritado, nem guarda mágoas. Quem ama não fica alegre quando alguém faz uma coisa errada, mas se alegra quando alguém faz o que é certo. Quem ama nunca desiste, porém suporta tudo com fé, esperança e paciência.

FACILIDADE PARA IRAR-SE

Você gosta de ficar perto de pessoas que ficam iradas com facilidade? A Bíblia afirma que o amor "não se irrita". Lembro-me do dia em que meu amável marido me disse: "Querida, noto que você está crescendo em Deus. Vejo-a tranquila. Você não se apressa em defender-se. Está aprendendo a ser bondosa para com os que a tratam com desdém". Isso me alegrou o coração, mas ao mesmo tempo foi um lembrete: era óbvio que antes disso eu me irritava com facilidade e era apressada para me defender. Desejo continuar crescendo na graça de Deus.

BONDADE

O amor é bondoso, amável, paciente e não se comporta de maneira inconveniente. Quando somos gentis em nosso lar, no relacionamento com nosso marido e nossos filhos, eles reagem da mesma maneira. O amor é construtivo. Em vez de procurar menosprezar alguém, pense num modo de elevar essa pessoa.

O amor custa caro. É possível encontrar o lado positivo em situações difíceis? Se seus filhos entrarem com os pés sujos no piso que você acabou de limpar, controle-se. Alegre-se pelo fato de estarem vivos e correndo.

NÃO GUARDE RANCOR

O amor não mantém uma "lista negra", nenhuma lista de ofensas recebidas. Numa peça teatral que conta a história de 50 anos de vida conjugal, há uma cena típica entre o marido e a mulher. Ele diz:

— Querida, devo informá-la de que fiz uma listinha de todos os seus hábitos irritantes.

— É mesmo?! — replicou a mulher. — Eu também tomei a liberdade de fazer a minha listinha.

E puxa da gaveta uma tira de papel de pouco mais de dois metros de comprimento!

— A primeira é — continua a mulher — você ronca quando dorme: zzz, zzz, zzz!

— Que horror!

— Concordo plenamente.

É uma cena bem divertida, já que mostra o quanto permitimos que pequenas irritações ofusquem o amor. Concentramo-nos em elaborar listas. De probleminhas banais, fazemos montanhas, que, quando menos esperamos, já ofuscaram completamente o amor. O amor não insiste em "meus direitos".

DEIXE DE SER IMPLICANTE

Certa vez, ouvi uma mulher contar que procurava passagens bíblicas "que servissem de carapuça ao marido". Os textos serviam como uma luva. Ela se vangloriava desse jeito de fazer o marido enxergar suas faltas. Alguém, então, lhe disse: "Se você não quer ficar sozinha, pare de recriminar! Deixe de ser implicante".

O amor é bondoso. Você já ouviu alguém chicoteando outro numa oração pública? O amor tem um jeito melhor de comunicar-se — um jeito que edifica em vez de destruir.

PARECE IMPOSSÍVEL

Nos meus últimos seis meses na Argentina, ia toda semana à casa de Pilar, uma professora de filosofia, agnóstica e que sofria de câncer. Comecei a testemunhar-lhe cinco anos antes, mas ela mantinha o coração fechado. Agora, porém, reconhecia sua necessidade espiritual. Líamos, conversávamos e orávamos juntas.

Numa dessas ocasiões, Pilar disse:

> "Você leu para mim o trecho de 1João 4. Eu havia decidido buscar o amor de Deus. Senti-me preparada para ser dele. Mas quando li todo o capítulo, não consegui dormir. O texto diz que, se quero amar a Deus, devo amar também os que me rodeiam. Isso é impossível, Betty Jane. Muitas pessoas me ofenderam, e eu gostaria de acertar contas com elas. A Bíblia diz que seremos conhecidos como discípulos de Jesus se nos amarmos uns aos outros. Entendo isso perfeitamente. Preciso estar preparada para amar o próximo se quiser amar a Deus. Mas como posso fazer isso?".

Ela estava sendo bem franca. A Palavra abria caminho na mente confusa daquela mulher. Do ponto de vista humano, o amor não é uma capacidade inata ao homem. Preferimos sempre nos vingar de alguém que nos ofendeu. No entanto, no solo do amor nasce o fruto. Uma mulher disse-me certa vez: "Eu amo todo mundo, mas seleciono as pessoas de que gosto!".

O amor é a soma de todas as graças, a cura de todas as lembranças. O amor é a lei máxima das Escrituras. A beleza do fruto do Espírito é que ele se parece com um cacho de uvas. As partes são muitas, mas formam um só fruto. Observe um belo cacho de uvas; cada pequeno fruto é doce, suculento e perfeito. Da mesma forma, no amor encontramos paciência, bondade, mansidão, amabilidade, autocontrole, fé — cada virtude é parte do fruto e cada uma forma o todo.

O AMOR JAMAIS ACABA

Quando tudo passar, quando a casa onde vivemos grande parte de nossa vida for derrubada, quando os quadros que pintamos forem leiloados, quando as blusas de lã que tricotamos ficarem com buracos de traça, o que restará? Só a lembrança — a realidade do amor. Dirão, então: "A vida dela era como um doce perfume. Ela era bondosa e me amava". O amor jamais acaba.

PERGUNTAS PARA RESPOSTAS INDIVIDUAIS

1) Por que Maria é exemplo típico do fruto "amor"?
2) De que modo João 3.16 nos mostra a lei do amor?
3) O que nos diz Romanos 5.8 acerca do amor?
4) Em 1João 4.8, há uma fonte de amor que pode crescer e governar a nossa vida. Que fonte é essa?
5) Isso significa que somos como Deus?
6) Considerando 1João 4.20,21, você tem o mesmo problema da professora Pilar?
7) O que essa passagem nos ensina a respeito do amor ao próximo?
8) De acordo com 1João 4.18, que tipo de relacionamento você deve ter com alguém que ama?
9) Você percebe quando há ternura em seu coração?
10) Você já fez mau juízo de alguém? Como curar esse procedimento?
11) Tem tido desentendimentos no lar? Como os resolver?

12) Quanto é importante para você fazer de Efésios 4.32 a lei que rege seu lar?

13) Faça uma lista de suas qualidades. ("Tenho de conviver comigo mesma, por isso desejo me conhecer.")

14) Quem você mais ama?

15) O que a faz amar essa pessoa?

16) A quem você tem dificuldade de querer bem?

17) Por que você os(as) acha antipáticos(as)?

18) Eles são diferentes?

19) Como você pode transformar seus inimigos em amigos?

20) De que maneira você pode expressar amor e gratidão?

21) Como esquecer as ofensas que sofremos?

22) Visto que o amor é a norma da vida, relacione as pessoas que você gostaria de ajudar mostrando o amor de Deus.

3

A alegria

Maria e Isabel — duas mulheres grávidas

Lucas 1.35-55

Você se lembra da história do garotinho que foi visitar a fazenda da avó num domingo? O carneirinho veio ao encontro dele, saltando de alegria. O cachorro pulava e balançava a cauda. "Sente-se, Rover, hoje é domingo e você não deve ficar saltando por aí", disse o garotinho. Depois, vendo o jumentinho parado, com as orelhas caídas, olhos tristes, cabeça baixa, ele disse: "Ah, minha vó diria que você é o único cristão verdadeiro nesta fazenda!".

Ser cristão significa não ter alegria nenhuma? É o mesmo que não ter bons momentos? Você deixa que um problema a entristeça com facilidade? Na fila do supermercado, você é capaz de identificar semblantes alegres? O que o seu semblante deixa transparecer?

O CORAÇÃO TRISTE CANSA-SE DEPRESSA

Provérbios 17.22 afirma que "O coração bem disposto é remédio eficiente, mas o espírito oprimido resseca os ossos". Você reconhece a verdade profunda que há nesse texto? A alegria pode ser o antídoto para os males de nosso mundo, de nossa igreja, de nossa própria vida.

"[...] o fruto do Espírito é [...] alegria [...]." A alegria é consequência natural de nossa salvação, a manifestação exterior de um bem-estar íntimo. Visitamos muitos lares quando viajamos pelas igrejas em períodos de férias. Muitos estão desanimados e amargurados. Sem alegria. Talvez a família ainda vá à igreja e até dê o dízimo, mas não há ânimo, não há alegria. O coração alegre deixa o passo leve; a alegria aumenta nossa eficiência. Pense na sua vida. Você tem estado amargurada?

ISABEL, A ESTÉRIL

Lucas 1.35-55 trata da história de duas mulheres cheias de graça que conservaram a alegria numa situação difícil. A primeira é Isabel, mulher com idade avançada e estéril, que servia no templo com o marido sacerdote. De repente, aos 70 anos de idade, ela descobriu que estava grávida.

Esse fato a aliviaria do estigma de ser esposa judia estéril, mas onde encontraria forças para dar à luz um filho quando seu corpo já não era jovem? De que modo isso interferiria em seu ministério com o marido? E como, já idosa, poderia cuidar de um bebezinho?

MARIA, A VIRGEM

De outro lado, encontramos uma bela jovem solteira, desfrutando alto conceito em seu povoado. A moça ia sempre com outras jovens tirar água do poço. Seu corpo, porém, começava a avolumar-se com a gravidez. As mães meneavam a cabeça e advertiam as filhas: "Afastem-se de Maria. Ela se envolveu em problemas".

Maria foi mal interpretada, olhada com desdém e difamada. Sua família passou a sentir a pressão social. Havia a possibilidade do rompimento do noivado. As leis judaicas diziam que José devia levá-la para fora do povoado e apedrejá-la até a morte. Será que essa jovem tinha mesmo certeza de que havia entendido o que o anjo lhe falara?

A seu redor, por toda parte, havia reprovação. As mulheres cochichavam; as moças evitavam-na.

Sofrer a dor moral e ser mal interpretada é muito mais traumático do que o castigo físico, pois fere nossa natureza interior e pode anular o calor de nossa alegria. Gravidez aos 70 anos ou aos 17 anos — nos dois casos, há sempre problemas.

COMO ESPERAMOS?

Lemos que Isabel aguardava o nascimento de seu filho João. Creio que ela orava pelo ser que se formava dentro dela, e o cercava de pensamentos edificantes. Deus estava preparando o evangelista que seria o precursor de Jesus. Seis meses depois, Maria dirigiu-se a uma cidade da região montanhosa para visitar a prima Isabel. No momento em que Maria bateu à porta e disse: "Olá, como vão todos?", Isabel respondeu: "Ó, eu sinto a presença da vida; meu bebê saltou de alegria!"[1].

O MILAGRE DO NASCIMENTO

Sentir o bebê mexer-se dentro de nós, chutar nossa costela e, ao mesmo tempo, sentir nosso corpo engordando, é um tanto desconfortável. Além daqueles primeiros dias de náusea, em que tudo se revira no estômago. Poderíamos permitir que o desconforto e o medo nos destruíssem a alegria. "Dói. Deixa estrias. Isso pode me fazer

---

[1] Adaptado de Lucas 1.39-44. [N. do E.]

perder a silhueta para toda a vida. Estou perdendo a elasticidade de alguns músculos!"

Em Salmos 139.1-18, lemos a respeito do milagre do nascimento. Deus sabe tudo a respeito do bebê. Cerca a futura mamãe com seu cuidado desde o dia da concepção. Pense no grande milagre que acontece à medida que o bebê se desenvolve, os bracinhos e as perninhas se movimentando, as unhas tomando forma. Na concepção ocorre a fusão inicial de duas células. Esse milagre resulta em milhões de possíveis combinações de características.

Somos parte do milagre de Deus, e nossa atitude de futuras mães deve ser de alegria durante os nove meses de espera.

ABORTO?

Em vez de brincar com a ideia tão predominante hoje: "Se não desejo este bebê, não sou obrigada a carregá-lo", tanto Maria quanto Isabel se regozijaram em Deus. Nós, portanto, como mulheres cristãs devemos aprender a aceitar a realidade da alegria da concepção durante esse tempo de espera e ensinar nossas filhas a comportarem-se com a mesma alegria quando estiverem grávidas. Diante dos trágicos dados estatísticos que falam de milhões de abortos, devemos, como cristãs, ressaltar o valor da vida e a alegria de fazer parte do milagre de Deus na formação de um novo ser.

O CÂNTICO

A bela reação de Maria diante do júbilo de Isabel foi a de irromper em cântico (Lucas 1.47-55). Esse trecho das Escrituras é conhecido como o *Magnificat*. Ela cantou: "Minha alma engrandece ao Senhor e o meu espírito se alegra em Deus, meu Salvador".

Maria conservava o coração jubiloso, apesar dos obstáculos a sua volta. Será que eu, ou você, conseguiria manter a cabeça erguida, o espírito íntegro e a alegria no coração? Podemos, sim, se vivermos no Espírito e o fruto da alegria estiver crescendo em nossa vida!

BOAS NOVAS DE GRANDE ALEGRIA

Não é de admirar que o anúncio dos anjos em Lucas 2.10 tenha vindo com grande alegria.

> *Vinde, cantai! Jesus nasceu!*
> *À terra a Luz desceu!*
>
> *Sim, proclamai em derredor*
> *Que foi por grande amor*
> *Que à terra veio o Sumo Bem,*
> *Na gruta de Belém!*
> *Jesus humilde ao mundo vem!*

O ponto alto da mensagem celestial que o anjo trouxe aos pastores foi: "Estou lhes trazendo boas--novas de grande alegria, que são para todo o povo: Hoje, na cidade de Davi, lhes nasceu o Salvador, que é Cristo, o Senhor" (Lucas 2.10,11).

Vimos claramente a transformação no rosto de pessoas que, andando em densas trevas, ouviram as boas-novas e receberam Cristo como Salvador. Olhos brilhantes, lábios sorridentes, a alegria os invadiu e transformou completamente!

Lembro-me de, numa véspera de Natal, ter andado por diversas praças de La Paz, na Bolívia, cantando com nosso coral. A meu lado, diversos jovens caminhavam. Rosário, uma cristã recém--convertida, disse: "Não sei por que esperei tanto tempo. Desde que abri o coração para Jesus, tenho tido imensa alegria!".

No paganismo não há alegria, seja numa nação que se diz cristã, seja num país declaradamente pagão ou ateu. Embora as pessoas possam tocar tambores e cantar, o coração delas está vazio. Só Jesus dá alegria.

O QUE A ALEGRIA SIGNIFICA PARA NÓS HOJE EM DIA?

1) Alegria é o nosso *privilégio* cristão e a melhor propaganda do evangelho:
   a) alegria completa (João 15.11);

b) ninguém nos pode tirar a alegria (João 16.22);

c) alegria que vem do Espírito Santo (1Tessalonicenses 1.6);

d) alegria em meio às provações (Tiago 1.2,3).

2) A alegria é a nossa *força*:

a) a alegria do Senhor nos fortalece (Neemias 8.10);

b) apesar das circunstâncias (Hebreus 3.17,18).

3) A alegria é o nosso *remédio*:

a) é remédio eficiente (Provérbios 17.22);

b) substitui a tristeza (Isaías 61.1-3).

4) A alegria traz-nos *realização plena*:

a) alcançamos a plenitude da alegria (Salmos 16.11);

b) ela é gloriosa (1Pedro 1.8).

5) A alegria é *contagiante*:

a) ofereceram dinheiro por ela (Atos 8.18);

b) viram a mulher samaritana transformada (João 4.39);

c) devolve-nos a alegria da salvação e sustenta-nos com um espírito pronto a obedecer (Salmos 51.12).

BEM-ESTAR

Essas passagens bíblicas ajudam-nos a reconhecer que a verdadeira alegria não é algo superficial, que se obtém em festas. A alegria do Senhor é o sentimento permanente de bem-estar. O desânimo não é para o cristão. Jó 20.5 diz que a alegria dos ímpios dura apenas um instante. Os programas de televisão estão cheios de gargalhadas artificiais, mas sem alegria.

Gosto da ideia de Provérbios 17.22 de que o coração bem disposto (alegre) é remédio eficiente, pois o espírito oprimido resseca os ossos. Quando meu pai, aos 82 anos de idade, teve um derrame, minha irmã escreveu que, embora a trombose o tivesse deixado quase cego, ele nos esperaria à porta do hospital. Quando identificava uma voz, ele sempre tinha uma piada ou uma brincadeira para manter a alegria.

Há livros sobre enfermidades emocionalmente induzidas. Alguns médicos afirmam que 85% das doenças contemporâneas têm causas emocionais. De fato, a sensação de insegurança e a falta de confiança são circunstâncias que causam doenças reais. Quantas dessas enfermidades poderiam ser curadas com uma injeção da alegria verdadeira? Comprimidos e receitas jamais curarão o espírito oprimido. Uma característica do fruto do Espírito, porém, é a alegria.

ALEGRIA EM LUGAR DE LUTO

Uma das primeiras coisas que nos chamaram a atenção em alguns países da América do Sul foi o grande número de pessoas que usavam roupas pretas. Muitos homens usavam uma faixa preta na manga do paletó novo. Quando perguntamos por quê, descobrimos que era sinal de luto. Pela morte da mãe ou da esposa, o homem usava roupa preta durante sete anos e, depois, a faixa preta no braço por tempo indeterminado. Se o morto não fosse parente próximo, usava-se a cor preta de três a cinco anos.

O texto de Isaías 61.1-3 parece-nos cada vez mais atual e necessário. O evangelho deve ser pregado aos quebrantados de coração, aos cativos e aos que choram. Jesus disse que dará beleza em lugar de cinzas, óleo da alegria em vez de pranto, e manto de louvor em vez de espírito deprimido. Em lugar de tristeza e tensão nervosa, Jesus traz júbilo. Ele troca a tristeza pela alegria, e a opressão pelo manto de louvor. Como mulheres, precisamos dessa mudança. É um bom negócio! Não podemos perder. O Mestre oferece-nos mudança sem "cobrar nenhum preço", e nós saímos ganhando. Foi assim que ele planejou.

A tristeza reflete-se no semblante, na roupa e na atitude, mas Jesus diz: "Venham, eu vou fazer negócio com vocês, vou lhes dar alegria".[2]

Um dia antes de morrer, minha mãe disse: "Não tenho medo. Morrer é dormir e acordar na presença de Jesus". Quando chegou a hora de nos deixar, ela segurou a mão de meu pai e se preparou para morrer. Sem um suspiro nem gemido, partiu para ficar com Jesus.

Morrer não é complicado para os cristãos. Jesus estará ao nosso lado na hora da morte, dando-nos a alegria permanente e um sentimento interior de bem-estar. Jesus permanece ao lado do que vai partir e consola os que ficam, de modo que a tristeza não nos domina como domina aqueles que vivem sem esperança.

CONTÁGIO

Do mesmo modo que a alegria contagia, o fracasso e a tristeza também contagiam. Somos transparentes. Como mulheres, nossa vida influencia a atmosfera do lar, a atitude do marido e a dos filhos. Se somos amargas e estamos sempre munidas de palavras duras e afiadas, eles começam a definhar. Podemos desferir golpes mortais quando lançamos um olhar ferino sobre alguém.

[2] Adaptado de João 16.20. [N. do E.]

Você já observou um cão saindo furtivamente com o rabo entre as pernas? Talvez ele se tenha aproximado de alguém, abanando a cauda com muita alegria e tenha recebido uma repreensão. Nossa falta de alegria produz o mesmo efeito em nosso lar. Procure modular a voz, fale com alegria e mansidão. Seus filhos também vão parar de queixar-se.

VOCÊ ESTÁ SE ARRASTANDO?

Seus pés são pesados? Não consegue passar o aspirador de pó, arrumar as camas nem a mesa com bom gosto? Procure ouvir uma boa música cristã ou cante a sua predileta. Eleve o coração ao Senhor como Maria:

> *"Minha alma engrandece ao Senhor*
> *e o meu espírito se alegra em Deus,*
> *meu Salvador* [...]"[3]

Quando a alegria entrar em sua alma, sua força será renovada, o aspirador de pó ficará mais leve, as batatas serão descascadas com mais rapidez, e você de repente perceberá que todo o trabalho está concluído — cozinha limpa, móveis sem pó, camas feitas. A alegria do Senhor é a sua força!

[3] Lucas 1.46,47

Às vezes, cansamo-nos de fazer muitas atividades, por exemplo: assar biscoitos para a escola bíblica de férias, ajudar na reunião de mulheres, preparar as roupas dos filhos para o acampamento, os uniformes para os escoteiros — tarefas, tarefas, tarefas. Quando sentir os ombros caírem, os olhos fundos e a boca tensa, volte o coração e a mente para Jesus e comece a cantar. Precisamos ter o desejo intenso de cultivar a alegria em nossa vida.

Outras vezes, é necessário mudar de atitude. Pense num elogio. Diga a seu(sua) filho(a) que você se alegra de verdade quando ele(a) leva o lixo para fora da casa, ou agradeça-lhe a gentileza de ter guardado as compras ou lavado a louça que usou, em vez de deixá-la suja em cima da mesa. Se, em vez disso, você gritar: "Seu quarto é sempre uma bagunça. As meias estão pelos cantos, as roupas embaixo da cama, estou cansada de tudo!", não se admire se ele(a) preferir ver televisão!

Ser gentil, porém, requer esforço. É fácil cair na rotina de dizer a primeira coisa amarga que nos vem à mente. É preciso, portanto, mudar de tática para que a alegria se acenda.

Jesus, Jesus maravilhoso,
No coração uma canção nos põe,
De coragem, livramento e alegria
No coração esta canção nos põe.

Nunca teremos dia tedioso
Nem longa a noite por demais será,
Pois a alma que em Jesus confia
Uma canção sempre entoará.

ALEGRIA NO SERVIR

Tenho guardada uma carta que meu filho Rocky, um jovem pastor, escreveu no inverno. Diz:

> "Mãe, desejo muita alegria para você hoje! Nas últimas três semanas aqui, nos regozijamos muito no Senhor". (Esta última linha eu sublinhei de vermelho, porque me alegra o coração.) Prosseguindo, Rocky fala de um retiro da mocidade em que 88 jovens estudaram acerca da adoração, do testemunho, do senhorio de Jesus e de como conhecer e usar o dom que ele dá. E acrescenta: "Foi uma tremenda experiência para mim e para Sherry a saída repentina de duas das principais pessoas que iam cozinhar. E Sherry teve de encarregar--se do preparo das refeições para todos esses jovens. Isso nos trouxe inspiração. Ela desempenhou a tarefa maravilhosamente bem".

Lembrei-me de que Sherry estava grávida de oito meses naquela ocasião e decidira ir ao retiro para estudar e compartilhar. Entretanto, viu-se obrigada a assumir todo o trabalho da cozinha no último momento. E Rocky conta que isso muito os alegrou! Não é formidável?

NÃO PONHA TUDO A PERDER

Lembro-me do dia em que meu marido e eu estivemos com Rocky e Sherry na faculdade em que eles se formaram para o trabalho missionário. Era o aniversário de Sherry, por isso resolvemos sair para almoçar num restaurante conhecido.

Sherry vestia uma linda saia de linho branco, mas inesperadamente o bebê lhe molhou toda a roupa. Para aumentar os contratempos, acabou a gasolina do carro numa ruela, a caminho do restaurante. Com o capô erguido, sentamo-nos nas imediações, enquanto meu marido foi procurar um posto de gasolina. A umidade do ar estava alta, e nossos cabelos recém-penteados começaram a desalinhar-se. Um senhor gentilmente deu carona a meu marido e o trouxe de volta com o combustível.

Abastecido o carro, voltamos ao posto para completar o tanque. O frentista foi descuidado e deixou a mangueira frouxa na boca do tanque, e acabou borrifando gasolina no terno novo de Rocky e nos sapatos dele, encharcando-os a ponto de queimar-lhe os pés. Paramos numa loja para comprar meias, e Rocky procurou um lugar para lavar os pés.

— Estamos quase chegando — avisou Sherry.
— Vejam a placa indicando a próxima saída da rodovia que devemos seguir.

— Opa, passamos a saída. Bem, não se preocupem — disse Rocky. — Vamos seguir a próxima indicação e fazer o retorno.

A saída seguinte estava mais distante do que esperávamos, mas finalmente fizemos o retorno e... erramos de novo!

Chegamos atrasados, com calor, famintos, mas sem perder a calma. Mais tarde concordamos que não poderia ter sido pior. Mesmo assim, não houve uma palavra sequer de reclamação, nenhum sorriso torto ou sinal de contrariedade. Naquela situação, seria fácil perder a alegria! Se isso tivesse acontecido, a cena seria assim:

POR QUÊ? POR QUÊ? POR QUÊ?

"Por que você esqueceu de pôr gasolina no carro? Você sabe muito bem que o ponteiro do combustível não funciona direito. Não devia confiar nele."; "Por que pegou aquela estrada estreita, sabendo que ali não havia nenhum tráfego?"; "Por que não começou a se preparar mais cedo?"; "Por que andou naquela velocidade a ponto de perder a saída?"; "Por que não reduziu a marcha?"; "Por que não me dá ouvidos? Eu disse onde deveria fazer o retorno."; "Por que está sempre me dando ordens?"; "Por que parou tão perto da bomba?"; "Nem sei por que saímos da cama hoje!"

A lamúria poderia ter continuado a tarde toda, pondo tudo a perder. O dia teria sido amargo para todos nós.

A alegria, porém, foi o remédio para aquela situação. Deus ajudou-nos a conservar o coração feliz. Acabamos rindo de nossos problemas. O senso de humor e a alegria interior auxiliam muito nas circunstâncias difíceis. Na realidade, é em crises assim que o caráter da pessoa se revela.

Minha oração por você é que a alegria do Senhor seja a sua força e o seu remédio, e que seja plena.

ENCONTRO COM A VERDADE

1) Você conhece alguma mulher que tenha enfrentado a gravidez com pavor? Como podemos mostrar a beleza desse acontecimento valendo-nos do salmo 139?

2) O primeiro versículo do salmo 139 diz que Deus nos conhece desde o começo. O versículo 13 afirma que o Senhor nos teceu no ventre de nossa mãe; o 14, que fomos formados de modo especial e admirável. Como relacionar esse conhecimento

com a opinião tão aceita hoje a respeito do aborto?

3) O que devemos ensinar aos jovens a respeito da santidade de vida?

4) De que modo você acha que a atitude alegre de Maria beneficiou Jesus?

5) O que é a alegria "plena" e "completa" que experimentamos em Cristo? Leia João 15.11 e Salmos 16.11.

6) De que modo uma atitude de alegria nos ajuda quando temos muito trabalho a fazer?

7) Habacuque 3.17-19 está entre as mais belas peças poéticas já escritas. Qual é a sua mensagem?

8) Cite algumas circunstâncias que você enfrenta em que o fruto espiritual da alegria é necessário.

9) O que Davi queria dizer em Salmos 51.12, ao escrever: "Devolve-me a alegria [...]"? Como foi que ele a perdeu? Quando necessitamos restaurar nossa alegria?

4

A paz

Joquebede — a mulher agraciada

Números 26.59; Êxodo 2.1-11 e 1.15

Vivemos na época do comprimido — cor-de-rosa, verde, roxo, amarelo, grande, pequeno. Uma amiga minha só conseguia dormir à base de pílulas. Depois, não conseguia permanecer totalmente acordada, de modo que tomava outro comprimido que a despertasse. Ainda assim, não conseguia concentrar-se, por isso tomava outro. Parecia semimorta. Hoje, depois de tantos anos de abuso, ela é incapaz de raciocinar e agir normalmente.

"[...] fruto do Espírito é [...] paz [...]". Por que permitimos que as pressões e os problemas nos privem da paz? Esse fruto natural do Espírito —

a paz — começa a despontar assim que conhecemos Cristo como Salvador. A paz de Deus é o antídoto para os problemas e temores de hoje. Romanos 5.1 diz: "Tendo sido, pois, justificados pela fé, temos paz com Deus, por nosso Senhor Jesus Cristo". Nossa consciência foi purificada. Começamos o crescimento cristão numa atmosfera de paz.

PAZ COM DEUS OU DE DEUS

Esse texto de Romanos 5.1 diz que temos paz *com* Deus. Essa é a paz resultante da nossa reconciliação com o Pai mediante Cristo. Depois, há outra paz, a paz *de* Deus, que, como fruto, cresce em nossa vida. Infelizmente, muitos cristãos têm paz *com* Deus, mas não têm a paz *de* Deus florescendo em sua vida.

Quando Jesus estava no barco durante a tempestade, deitou-se e adormeceu (Marcos 4.35-41). Ele é o Autor da paz, da paz interior e da paz entre os elementos da natureza. Os discípulos aceitaram a paz *com* Deus, mas, evidentemente, não tinham a paz *de* Deus, pois se preocuparam a noite toda. Finalmente, com medo, recorreram ao Mestre, para que os salvasse. O medo havia-lhes destruído a paz.

Jesus é a nossa paz. Diz ele: "E eu estarei sempre com vocês [...]" (Mateus 28.20).

De que você tem medo?
- De ruídos à noite?
- De seu filho não voltar para casa na hora esperada?
- De não conseguir viver com pouco dinheiro?
- De perder o emprego?
- De envelhecer?
- Do ridículo, do desprestígio?

Vamos analisar juntas o que Deus diz sobre a paz:

1) A fonte da paz:
   "Deixo-lhes a paz [...]" (João 14.27), não o tipo de paz que o mundo dá, mas a profunda e permanente paz que não depende das circunstâncias.
   "Sujeite-se a Deus, fique em paz com ele [...]" (Jó 22.21). Nossa paz decorre do fato de conhecermos Jesus, o Príncipe da Paz.
2) A qualidade da paz que vem de Deus:
   "E a paz de Deus, que excede todo o entendimento, guardará o coração e a mente de vocês em Cristo Jesus" (Filipenses 4.7).

Esta é uma promessa de duplo efeito: a força de sua paz guardará nosso coração e nossa mente, nossas emoções e nossos pensamentos.

3) Guardados na paz de Deus:

"Tu, Senhor, guardarás em perfeita paz aquele cujo propósito está firme, porque em ti confia" (Isaías 26.3).

"Lancem sobre ele toda a sua ansiedade, porque ele tem cuidado de vocês" (1Pedro 5.7).

"Que a paz de Cristo seja o juiz em seu coração, visto que vocês foram chamados para viver em paz, como membros de um só corpo" (Colossenses 3.15). Temos participação voluntária na manutenção da paz de Deus.

4) Crescimento na paz:

"[...] busque a paz com perseverança" (1Pedro 3.11).

Há descanso providenciado por Deus para seus filhos. Devemos entrar nesse descanso. É uma dimensão mais elevada; é a calma no centro da tempestade (Hebreus 4.1-11)

"[...] irmãos, tudo o que for verdadeiro, tudo o que for nobre, tudo o que for correto [...]. Ponham em prática [...]. E o Deus da paz estará com vocês" (Filipenses 4.8,9).

5) Consequências da paz de Deus:

"[...] você seguirá o seu caminho em segurança, e não tropeçará [...] pois o Senhor será a sua segurança" (Provérbios 3.23,26).

> "Em paz me deito e logo adormeço, pois só tu, SENHOR, me fazes viver em segurança" (Salmos 4.8).

Lembre-se de que o amor é a parte central do fruto, mas, se não existir paz, nenhum fruto pode crescer. Se houver inveja, ciúmes, conflito de interesses e facções, o desenvolvimento será interrompido. Se houver sentimento de competição, nossa paz será retirada.

O QUE É PAZ?

Paz não é apenas a ausência de guerra e de medo. Paz é a tranquilidade de espírito. É a consciência serena diante de Deus, a certeza de que temos uma relação correta com ele. Diz 1João 4.18: "No amor não há medo; ao contrário o perfeito amor expulsa o medo [...]". O medo priva-nos da paz, e a falta de paz acarreta preocupação e ansiedade.

O medo promove desintegração da personalidade humana. Milhares de pessoas destroem a própria vida por causa da ansiedade, do medo e da preocupação. Acredita-se, entretanto, que 92% dos males que tememos jamais ocorrerão. Que loucos somos por viver temendo o amanhã! Não nos devemos esquecer de que Deus tem em suas mãos todo nosso amanhã.

No capítulo três, que trata da alegria, fizemos menção das enfermidades induzidas pelas emoções. Muitas vezes o medo é a causa do desequilíbrio emocional. O medo gera úlceras e problemas cardíacos, atingindo nosso bem-estar físico, espiritual e social. Busquemos, portanto, o antídoto que Deus nos dá com sua paz, o fruto do Espírito.

Estas são algumas manifestações de medo: ansiedade, preocupação, suspeita, dúvidas, indecisão, hesitação, timidez, covardia, inferioridade, tensão, solidão e agressão.

Você pode fazer uma lista de manifestações opostas a essas?

ONDE NECESSITAMOS DE PAZ?

Necessitamos de paz na relação entre nós e nosso marido, com nossos filhos, na escola, no trabalho, na mente e com os que se relacionam conosco. A paz vem de Deus, mas cabe a nós recebê-la e conservá-la.

Se houver ciúme, inveja, amargura e discórdias, a paz não poderá brotar. Se somos recriminadoras e rabugentas, existe guerra dentro de nós. Podemos até ter alcançado paz *com* Deus, mas não estamos mantendo a paz *de* Deus em nossa vida.

A conversa à mesa, quando toda a família está reunida, é muito importante para nosso bem-estar físico. Alguns pais, todavia, usam a hora das refeições para censurar e corrigir os filhos. O ambiente gerado por essa atitude causa problemas digestivos e desequilíbrio físico. Também pode produzir um ambiente de medo, que deixa cicatrizes por toda a vida.

A RESPONSABILIDADE É NOSSA

Isaías 26.3 atribui a maior parte da responsabilidade por nossa paz a nós mesmos: "Tu, SENHOR, guardarás em perfeita paz aquele cujo propósito está firme, porque em ti confia". Devemos manter a mente fixa em Deus, para que os nossos pensamentos sejam iguais aos pensamentos dele.

Minha mãe costumava repetir este versículo: "E a paz de Deus, que excede todo o entendimento, guardará o coração e a mente de vocês em Cristo Jesus" (Filipenses 4.7). Temos aqui uma promessa dupla. A paz de Deus é tão grande que está além de nossa compreensão. Ela guardará nosso coração (isto é, as emoções), nossos nervos (a parte perceptiva) e nossa mente (o modo de pensar, a capacidade de raciocinar; nossa parte inteligente).

O versículo 8 menciona o que devemos pensar:

> Finalmente, irmãos, tudo o que for verdadeiro, tudo o que for nobre, tudo o que for

correto, tudo o que for puro, tudo o que for amável, tudo o que for de boa fama, se houver algo de excelente ou digno de louvor, pensem nessas coisas.

O que ocupa seu pensamento quando você está dirigindo? Sobre o que pensa enquanto prepara o almoço? Você gostaria que os seus pensamentos fossem vistos por sua família se pudessem ser projetados numa tela? O que influencia sua maneira de pensar? Quais as coisas positivas em que podemos pensar?

Colossenses 3.15 diz: "Que a paz de Cristo seja o juiz em seu coração [...]". Creio que aqui há um segredo para as mulheres. Muitos dos nossos problemas surgem pelo fato de não *deixarmos* que a paz de Deus encha nossa vida e tome conta de nós, a ponto de abençoar outras pessoas.

Lembro-me de que minha avó, muitos anos atrás, gostava de acompanhar um programa de rádio apresentado por uma família. Vovó ria, chorava e identificava-se com as personagens. Hoje as novelas estão tomando o tempo, a mente e as emoções de milhões de mulheres que vivem imaginariamente a vida das personagens da TV. Muitas vezes, algumas mulheres assumem as situações do enredo da novela e trazem os problemas das personagens para sua própria família.

Permitem que essas fantasias lhes tirem a paz. Deixam de fazer o trabalho da casa, o jantar, e não disciplinam as crianças. Ficam ali horas e horas envolvidas com as novelas. É necessário lembrá-las de que a TV tem um botão que a desliga. Quando estamos assistindo a alguma cena que abale nossa paz individual e não contribua para manter o coração e a mente firmados em Deus, compete a *nós* acionar esse botão.

Qualquer coisa que ameace a paz de nossa casa deve ser cortada ou eliminada. Talvez essa coisa seja um passatempo, algo que já se tenha transformado em vício. Pode até ser o hábito de ir à igreja antes de dispensar o devido cuidado ao lar e à família.

SE... SE... SE...

Tenho uma amiga cristã muito nervosa que vive na terra dos "ses". "O que vai acontecer se meu filho se machucar? E se ele começar a usar drogas? E se sofrer um acidente? O que acontecerá se meu marido sofrer um revés financeiro?" Ela sempre me telefona ansiosa: "Ore por meu filho; estou muito preocupada com ele".

Com essas preocupações, ela cria a seu redor uma atmosfera tempestuosa. Não devemos esquecer que somos responsáveis pela presença ou ausência de paz no lar. Uma amiga escreveu-me depois que meu marido esteve hospedado em sua casa durante um seminário: "Betty Jane, seu marido trouxe ao nosso lar uma atmosfera de paz; havia paz em redor dele". Esse é o fruto do Espírito em ação.

APRENDER A "LANÇAR"

O versículo 7 do capítulo 5 de 1Pedro não diz que os cristãos jamais terão problemas. Podemos ter problemas, sofrer pressões, experimentar contratempos e desapontamentos, mas a maneira que os enfrentamos mostra se temos paz: "Lancem sobre ele toda a sua ansiedade, porque ele tem cuidado de vocês". "Que a paz de Cristo seja o juiz em seu coração [...]", diz Colossenses 3.15. Concentre o pensamento em Deus. Expulse o que for negativo.

> Se eu lançar todo cuidado sobre ele,
> Seu poder guardador meu sempre será.
> Se o fardo da vida estiver muito pesado,
> Meu coração feliz assim mesmo poderá cantar.
> Se os temores vierem me assaltar, não temerei,
> Dentro em mim sua paz sempre estará.

Lemos em Hebreus 4.9-11 que há um nível garantido de paz e descanso disponível ao povo de Deus. Veja: "[...] esforcemo-nos por entrar nesse descanso [...]". Podemos viver num plano superior ao daqueles que não conhecem Cristo. Podemos entrar num lugar de paz e descanso, onde o meio-ambiente e as circunstâncias não nos expulsam. Os cientistas estão descobrindo novas leis; nós também necessitamos descobrir as leis de Deus para o nosso bem-estar.

VOCÊ É QUEM FAZ SUA PRISÃO

José tinha apenas 17 anos quando uma mulher leviana levantou uma calúnia contra ele. Ele sabia que tinha de viver com sua consciência e com seu Deus. José passou 13 anos, quase metade de sua juventude, na prisão, mas elevou-se acima das circunstâncias. Ele estava na prisão, mas a prisão não estava nele!

EM PERIGO

Quando estávamos na Argentina, há alguns anos, ouvi gritaria e barulho de luta numa rua escura. Depois escutei um tiro. Eu havia torcido o tornozelo e estava muito frio lá fora. Meu marido acabara de voltar da Guiana, onde permaneceu cinco semanas. Ele calçou rapidamente os chinelos, vestiu um suéter e saiu.

Guilherme, nosso vizinho, estava estendido numa poça de sangue. Meu marido agarrou o corpo de quase 120 quilos de Guilherme, empurrou-o para dentro de nosso carro e correu para o hospital, acompanhado de Lídia, a esposa de Guilherme.

Voltei para casa, tranquei todas as portas e aumentei o volume do rádio, para que os assassinos, caso espreitassem no escuro, pensassem que a casa estava cheia de gente. Comecei a andar e a orar ao mesmo tempo — e a paz envolveu-me.

Era o 22º aniversário de casamento de Guilherme e Lídia. Ele teria um jantar especial com a família, e trazia chocolates e flores. A esposa, até então, era uma mulher feliz. Pensava ter conseguido tudo o que desejava — uma casa bonita de alvenaria, completamente remodelada, e um belo jardim.

Meu marido retornou do hospital duas horas depois — todo o esforço fora em vão. Guilherme morrera. Desde então, Lídia vinha a nossa casa todos os dias retorcendo as mãos.

Um profundo temor dominou a vizinhança. Leon, um vizinho judeu, disse: "Vou mudar daqui". Perguntei-lhe: "A que lugar o senhor vai onde não haja medo? Aonde quer que vá, levará consigo seus temores".

Ele se mudou para um elegante apartamento com corredores de mármore, no quarto andar de um edifício. Um mês depois, sofreu um ataque cardíaco e quase morreu.

SOZINHA

Eu sabia que teria de ficar sozinha durante os meses em que Monnie, meu marido, estivesse viajando pela América do Sul, lecionando em seminários para líderes. Como enfrentaria a escuridão? E os barulhos noturnos? Como suportaria ficar só? Teria coragem de dirigir até a igreja? Continuaria meu ministério de ensino e treinamento, aconselharia outros e ajudaria Lídia?

Certa ocasião, eu disse aos jovens de nossa igreja: "Eu estava sentindo medo, sim, muito medo, mas de repente um manto de paz envolveu-me. Agora estou sozinha, mas sinto muita paz". Mais tarde, recebi uma carta de uma amiga de infância. Dizia: "Betty Jane, eu estava orando por você e o Senhor me inspirou a ler Provérbios 3.23-26:

> *Então você seguirá o seu caminho*
> *em segurança, e não tropeçará;*
> *quando se deitar, não terá medo,*
> *e o seu sono será tranquilo.*
> *Não terá medo da calamidade repentina*
> *nem da ruína que atinge os ímpios,*
> *pois o S*ENHOR *será a sua segurança [...]*

Ela havia orado por mim. E a paz de Deus veio sobre mim como um manto suave!

Ó, que paz Jesus me dá!
Paz que outrora não senti!
Cada vez sou mais feliz,
Desde que o conheci!

COMO ENFRENTAR

Vamos conhecer Joquebede, uma mulher do Antigo Testamento. Ela teve a preocupante suspeita de estar grávida de novo: "Exatamente o que eu temia, e já se passaram três meses".[1] À noite, os pensamentos perturbavam-na. "Tenho Arão e Miriã para cuidar, o que já é bastante. E se for um menino? E aquele terrível decreto de que todos os meninos devem ser mortos? Como enfrentar essa situação?"

Anrão, marido de Joquebede, era um dos escravos hebreus. "Muitas vezes, ele volta à noite com as costas sangrando por causa dos açoites dos guardas egípcios. O faraó Amenotepe vive preocupado com os hicsos, invasores do norte. Ele procura esgotar as energias dos hebreus na construção de enormes pirâmides para que não façamos nenhuma associação", pensava Joquebede.

Ela deve ter passado nove meses de angústia, mas, quando viu o bebê, reconheceu que se tratava

---

[1] Este e os demais trechos deste item foram adaptados de Êxodo. [N. do E.]

de uma criança especial. Deus havia planejado aquele nascimento a fim de realizar uma grande obra. "Ó Deus, intervenha de modo que eu o possa criar. Não permita que ele seja morto", clamava ela.

Joquebede escondeu o menino durante três meses. Toda mãe acha que seu filho é bonito, mas havia algo especial em torno daquele menino. Os soldados revistavam as casas dos hebreus para matar os meninos, mas não encontraram o filho de Joquebede. Eu me pergunto: onde ela teria escondido a criança? Embaixo de sua cama de pele de camelo? Numa cesta, entre verduras e cebolas na cozinha?

Enquanto o amamentava, ela conversava com ele: "Você me foi dado por Deus, você é especial e tem um grande motivo para existir". Transmitia-lhe paz e confiança. Quando o nenê estava com três meses, Joquebede percebeu que já não o podia esconder por mais tempo. Ajuntou juncos à beira do rio e, com Miriã, teceu um cesto. Enquanto entrelaçava os juncos, instruía a menina: "Miriã, este é o nosso bebê; este é o nosso projeto. Deus usará você para salvar o seu irmãozinho".

Joquebede beijou o filhinho, orou por ele e colocou-o no cesto. Ela e Miriã encaminharam-se para o rio. "Miriã, Deus lhe dará sabedoria. Ele lhe mostrará o que fazer. Não posso dizer o que vai acontecer, mas sei que Deus a guiará. Ele a vigiará e dirigirá."

Joquebede abraçou Miriã, deixou-a entre os juncos à beira do rio e voltou para casa.

Como pôde deixar as duas crianças num lugar perigoso? O que lhes aconteceria? A verdade é que a paz de Deus reinava na mente e no coração de Joquebede. Ela havia fixado o pensamento no Senhor, certa de que ele estava no controle. Era uma mulher cheia de graça.

Como a pequena casa lhe pareceu vazia! Sentiu aperto no coração. Limpou os restos dos juncos, começou a preparar o jantar e esperou para ver como Deus agiria.

Deus foi fiel. A princesa veio banhar-se no rio e ouviu o choro do bebê. O menino havia esperado o momento certo para chorar. Teria sido coincidência? Não, Deus dirige os menores detalhes de nossa vida.

A princesa apanhou o cesto e, vendo o bebê, reconheceu que se tratava de um menino hebreu. "Eu o levarei para casa; eu o encontrei." Nesse momento, Miriã saiu do meio dos juncos, de onde observava e esperava. Imediatamente ofereceu os serviços de uma ama. Posso imaginar com que emoção a menina correu para chamar a mãe: "Mamãe, mãezinha, venha depressa. A princesa está chamando. Podemos ter de volta nosso bebê".

Joquebede veio e encontrou seu filho nos braços da princesa, que lhe disse: " 'Leve este menino e amamente-o para mim, e eu lhe pagarei por isso' [...] e lhe deu o nome de Moisés, dizendo: 'Porque eu o tirei das águas' " (Êxodo 2.9,10).

A paz de Deus, que excede todo o entendimento, inundou o coração de Joquebede. Ela levou o bebê para casa. Beijou-o com amor, conversou com ele e o preparou. "Quero aproveitar cada momento, cada dia. Dentro de cinco anos tenho de devolvê-lo ao palácio, para ser educado como filho da princesa."

Joquebede criou o próprio filho. Quando foi desmamado, Moisés já sabia quem era e por que havia nascido. Aprendeu a história dos 400 anos de cativeiro dos 12 filhos de Jacó, por que estavam no Egito, e o propósito de Deus para seu povo. Joquebede transmitiu-lhe fé em Deus. Transmitiu a paz de sua vida para o filho em tamanha medida que a Bíblia nos diz que Moisés foi o homem mais manso da face da Terra. Essa mansidão e paz começaram no berço.

Moisés é considerado o autor do Pentateuco, os cinco primeiros livros da Bíblia, e também do salmo 90, que reflete a paz e a segurança que reinavam em seu ser:

> Senhor, tu és o nosso refúgio, sempre, de geração em geração [...] de eternidade a eternidade tu és Deus [...]. Ensina-nos a contar os nossos dias para que o nosso coração alcance sabedoria (v. 1,2,12).

Que teria acontecido se Miriã tivesse reclamado: "Eu sempre tenho de ajudar. Quero brincar com as minhas bonecas. Estou cansada de ficar em pé no meio dos juncos, e meus pés estão molhados!".

Algumas mães talvez dissessem: "Coitadinha, deixe-a brincar". Miriã, porém, aprendera a obedecer e a assumir responsabilidades ao lado de Joquebede. Muitas vezes dizemos: "É cansativo deixar as crianças ajudar. Elas nos dão mais trabalho. Lavam a louça e respingam água no chão. Prefiro fazer o trabalho eu mesma. É melhor que elas vejam TV". Mas essa atitude não está correta, pois de que forma podemos cultivar nos filhos o senso de responsabilidade, se nunca lhes confiamos tarefas que os levem a se sentir úteis?

Quem é responsável pela obediência de uma criança? Quanto você espera de seu filho?

Miriã foi um fator importante na vida e na salvação de Moisés, mas foi Joquebede quem transmitiu paz e confiança aos três filhos. Que mulher extraordinária! Seu filho mais velho veio a ser o primeiro sumo sacerdote da nação; Miriã, a primeira profetisa e a que dirigia o canto nas horas de desalento; Moisés, o líder, o legislador e o guia da nação hebraica. Uma mulher serviu-se da paz de Deus, e sua vida influenciou o mundo todo por intermédio dos três filhos.

O verdadeiro caráter vem à tona nos momentos de crise. Somente a mulher que tem paz interior pode ter clareza de pensamento.

PSIU, PSIU, SILÊNCIO!

Em Salmos 131.2 lemos: "De fato, acalmei e tranquilizei a minha alma. Sou como uma criança recém-amamentada por sua mãe; a minha alma é como essa criança". Acalme-se, minha alma.

> *Paz, paz, maravilhosa paz*
> *É aquela que vem do Senhor.*
> *Eu lhe peço que inunde para sempre o meu ser*
> *Em suas ondas de insondável amor.*

Quando nos acalmamos, trazemos paz, descanso e tranquilidade àqueles que nos cercam. Tiago 3.18 afirma que o fruto da justiça se semeia em paz. Se quisermos crescer e produzir fruto, necessitamos de paz interior.

VAMOS RECAPITULAR

1) O que Jesus tinha em mente quando disse ao mar: "Aquiete-se! Acalme-se!", em Marcos 4.39? Que mais isso pode significar?
2) Quais são as pressões da vida que lhe tiram a paz?
3) Que fazer para alimentar alguém com pensamentos pacíficos e edificantes?

4) Carregamos dentro de nós o centro da tempestade?
5) Que tipo de problemas o cristão enfrenta na sociedade atual?
6) Que recurso Deus nos dá para nossos problemas?
7) Quais são os "ses" que você questiona todos os dias?
8) Como você restaura a paz numa situação problemática entre seus filhos?
9) Decore João 14.27. Aí está a verdadeira fonte de paz.

5

A paciência

Sara — o tempo cicatriza todas as feridas

Gênesis 12—22

Minha igreja tinha um pastor que dizia: "Não ore pedindo paciência. Ore pedindo que Deus opere a vontade dele em sua vida". Muitas vezes, sabemos que necessitamos de paciência para determinadas circunstâncias, um problema ou uma decisão.

Mas o que é paciência? É firmeza e constância em face de uma provação. É "a capacidade de suportar sem queixas".

Na verdade, *paciência* é a palavra empregada pela *NVI* na lista do fruto do Espírito; outras versões empregam também a palavra *longanimidade*. Em Colossenses 1.11, a Bíblia usa uma trilogia: "[...] fortalecidos com todo o poder [...] para que tenham toda a perseverança e paciência com alegria". Assim Deus nos dá forças para cultivar alegremente a paciência no jardim de nossa vida.

Na Palavra de Deus, a paciência parece estar relacionada com sofrimento:

1) Sofrimento produz paciência:
   a) "[...] pois vocês sabem que a prova da sua fé produz perseverança. E a perseverança deve ter ação completa, a fim de que vocês sejam maduros e íntegros, sem lhes faltar coisa alguma" (Tiago 1.3,4).
   b) "Irmãos, tenham os profetas [...] como exemplo de paciência [...]. Vocês ouviram falar sobre a perseverança de Jó [...]" (Tiago 5.10,11). Esse é um exemplo clássico. Jó sofreu muito, mas, no fim, Deus foi misericordioso.
   c) "[...] Mas se vocês suportam o sofrimento [...], isso é louvável diante de Deus" (1Pedro 2.20).
   d) "[...] depois de terem sofrido durante pouco de tempo, [Deus] os restaurará, os confirmará, lhes dará forças e os porá sobre firmes alicerces" (1Pedro 5.10).

2) Crescimento na perseverança:

a) "Por isso mesmo, empenhem-se para acrescentar à sua fé a virtude; à virtude o conhecimento; ao conhecimento o domínio próprio; ao domínio próprio a perseverança; e à perseverança a piedade" (2Pedro 1.5,6).

b) "[...] também nos gloriamos nas tribulações, porque sabemos que a tribulação produz perseverança; a perseverança, um caráter aprovado; e o caráter aprovado, esperança. E a esperança não nos decepciona, porque Deus derramou seu amor em nossos corações, por meio do Espírito Santo que ele nos concedeu" (Romanos 5.3-5).

3) Exemplo do agricultor:

a) "[...] sejam pacientes até a vinda do Senhor. Vejam como o agricultor aguarda que a terra produza a preciosa colheita e como espera com paciência até virem as chuvas do outono e da primavera. Sejam também pacientes e fortaleçam o seu coração, pois a vinda do Senhor está próxima" (Tiago 5.7,8).

b) A seara não amadurece em duas semanas ou em um mês. Algumas árvores levam três anos para produzir fruto;

outras, como o mamão, dão fruto em poucos meses. Você precisa saber que fruto está plantando. A paciência exige mais tempo que alguns outros frutos. É preciso aquietar-se e ter tranquilidade. É assim que a paciência se aperfeiçoa.

4) Exemplo de uma corrida:

a) "[...] corramos com perseverança a corrida que nos é proposta, tendo os olhos fitos em Jesus, autor e consumador da nossa fé. Ele, pela alegria que lhe fora proposta, suportou a cruz, desprezando a vergonha, e assentou-se à direita do trono de Deus" (Hebreus 12.1,2).

Trata-se de um paradoxo. Como podemos correr uma corrida com paciência? Se vamos correr, temos de atingir o alvo, preparar-nos, partir! Correr com perseverança ou paciência é correr com o coração tranquilo. Com os olhos fixos no que está adiante de nós, com o rosto firme como rocha, nossa meta é uma vida útil para Cristo.

b) "Vocês precisam perseverar, de modo que, quando tiverem feito a vontade de Deus, recebam o que ele prometeu" (Hebreus 10.36). Depois de obedecer e esperar, no tempo de Deus virá o prêmio.

5) Qualidade necessária para os ministros:

   a) "[...] como servos de Deus, recomendamo-nos de todas as formas: em muita perseverança; em sofrimentos, privações e tristezas" (2Coríntios 6.4).

   b) "pois os nossos sofrimentos leves e momentâneos estão produzindo para nós uma glória eterna que pesa mais do que todos eles. Assim, fixamos os olhos, não naquilo que se vê, mas no que não se vê, pois o que se vê é transitório, mas o que não se vê é eterno" (2Coríntios 4.17,18). Vale a pena ser paciente para obter o galardão eterno.

   c) "Conheço as suas obras, o seu trabalho árduo e a sua perseverança [...] por causa do meu nome, [você] não tem desfalecido" (Apocalipse 2.2,3).

   d) "[...] busque a justiça, a piedade, a fé, o amor, a perseverança e a mansidão" (1Timóteo 6.11).

Percebemos, pois, que nenhum fruto cresce de modo independente. Todo fruto está inter-relacionado e interligado. Quando há piedade, fé e amor na vida, a paciência e a mansidão também se desenvolvem.

Há uma expressão em espanhol muito interessante: "Paciencia y buen humor". Se conservarmos o bom humor, a paciência crescerá. Se nos mantivermos tranquilos e aguardarmos um pouco, o bom humor virá à tona.

SENTE-SE

Uma mãe tentava controlar o filho indisciplinado. "João, sente-se ali no canto com o rosto virado para a parede até você aprender a ficar sossegado." O menino esqueceu a ordem e deu um pulo. "João, eu lhe disse para ficar sentado." Joãozinho sentou-se e disse: "Bom, estou sentado, mas por dentro ainda estou de pé".

No livro de Watchman Nee, *Sit, Walk, Stand* [Sente-se, ande e fique firme] ele diz: "É-nos impossível aprender a andar no Espírito sem aprender a 'nos sentar' com Jesus segundo Efésios 2.6". Sentar, relaxar, aquietar-se é fundamental para aprendermos a ter paciência em nossa vida.

TARDIAS PARA PERDER A PACIÊNCIA

Quando nossa filha Mona estava esperando o primeiro filho, ficou sozinha em seu apartamento. (O marido dela, Mike, é um pastor sempre muito ocupado.) Estávamos a 16 mil quilômetros de distância, na Argentina. Raquel, nossa outra filha, foi-lhe fazer companhia até o bebê nascer, mas o nascimento atrasou e Raquel teve de voltar para junto do marido, em Michigan.

Passaram-se 15, 20, 40 dias, e nada de nascimento — você pode imaginar quanto a nossa paciência foi provada! Toda vez que retornávamos para casa depois de uma semana de convenção ou de um retiro nos perguntávamos se o bebê já teria nascido.

Finalmente, Mike telefonou de Minnesota. Kristin Raquel, o bebê, chegou com 50 dias de atraso.

Mona escreveu:

> O Senhor ensinou-me a aquietar-me, a esperar e a ser uma pessoa melhor. Eu olhava para minha filhinha, para sua perfeição, e minha mente voltava para aqueles dias em que passamos nas montanhas da Bolívia e de quando saíamos todos para ensinar.
>
> Lembro-me daquele frio terrível. Eu fervia água no fogão de querosene para encher a bolsa que aquecia meus pés. Meu pequeno beliche no trailer era duro e gelado. Nossas mãos ficavam rachadas e crispadas. A senhora se lembra da vaselina que aplicávamos em volta das orelhas e do nariz para hidratá-los naquele frio? Pensei na grande quantidade de arroz que comíamos quando partilhávamos a ceia apimentada com os estudantes indianos. Lembrei-me de quando eu ia bem cedo para a escola para ensinar os

homens a ler e a escrever. Mas não tenho do que me queixar, estou aprendendo a ter paciência. Olho de novo para meu bebê e não tenho de que me lamentar.

IMPACIÊNCIA

Ter paciência é aguardar com tranquilidade o cumprimento do plano de Deus para nossa vida. Para nós, isso é difícil. Muitas de nós dizemos: "Para quando é isto? Era para ontem!".

Continuaremos aprendendo a lição da paciência até ver o Mestre face a face e ouvi-lo dizer: "Fizeste bem, recebe teu prêmio pela corrida que concluíste".

Agora quero falar com algumas de vocês, adoráveis jovens que ainda aguardam a revelação de Deus para saber qual o companheiro que ele escolheu para vocês. Casamento é como encontrar a outra metade da laranja, ou ter certeza de que somos a costela que faltava em determinada pessoa. Acho importante orar desde o momento em que aceitamos o Senhor para que ele também guarde o companheiro que tem destinado para nós. É preciso ter certeza da orientação de Deus para o casamento, porque é uma união para toda a vida.

A PRESSA ESTRAGA AS COISAS

Viver é uma arte, não uma ciência exata. Por isso, é necessário esperar e ser paciente. É muito melhor ter uma vida feliz e satisfeita sozinha e servir a Deus com liberdade do que escolher errado e casar-se com alguém que nos impeça de servir a Deus.

Há muitas mulheres completamente realizadas que preferiram servir a Deus na condição de solteiras. Elas têm um ministério e um lugar importante no plano de Deus. Por isso, não devemos equiparar a felicidade à possibilidade de encontrar alguém para o casamento. O contentamento e a paciência devem crescer, como diz Paulo, "em qualquer condição em que eu me encontre"!

DEUS FALA CONOSCO

Tenho marcadas na Bíblia algumas passagens com as quais Deus me falou quando eu passava por dificuldades e necessitava de paciência para enxergar o outro lado da questão. Tenho datas anotadas nas margens. Observo que Deus traçou um mapa por intermédio da Palavra — maio de 1943, janeiro de 1955, agosto de 1969, junho de 1977...

Em Salmos 40.1, o salmista diz: "Coloquei toda minha esperança no Senhor; ele se inclinou para mim e ouviu o meu grito de socorro". Deus ajudou-o, pôs-lhe os pés sobre uma rocha e um novo cântico no coração. Ele é o nosso Deus; nós o louvaremos!

Em Salmos 27.4,13,14 lemos: "Uma coisa pedi ao Senhor [...] que eu possa viver na casa do Senhor todos os dias da minha vida [...] até ver a bondade do Senhor na terra. Espere no Senhor. Seja forte! Coragem! Espere no Senhor". A ideia de esperar é enfatizada. É assim que a paciência se aperfeiçoa em nós.

Davi fala à sua própria alma em Salmos 62.5-8. Isso me ajuda, pois percebo que às vezes tenho de aquietar minha alma: "Descanse somente em Deus, ó minha alma [...] ele é a rocha que me salva [...]. Confie nele [...] derrame diante dele o coração, pois ele é o nosso refúgio".

* * *

As mulheres sentem muita necessidade de segurança, de raízes que se aprofundem. Anseiam ter amigos, família, um lar e uma vida sem medo, confiantes de que tudo vai bem ao redor.

Sarai sentia-se muito segura em Ur. Abrão era bem-sucedido. Nos dias de hoje, diríamos que eles eram da classe alta, sem problemas financeiros; uma família estável e de boa posição social. Tinham segurança.

Uma noite, Abrão, ao voltar para casa, disse:

— Sarai, recebi um visitante hoje, um visitante celestial. Ele disse que devemos deixar este lugar, mudar-nos e procurar um novo país, cujo construtor e criador é Deus.

Sarai bem podia ter perguntado:

— E qual era a aparência do mensageiro? O que ele disse e para onde vamos? Quanto tempo isso vai levar?

— Paciência, Sarai, não sei as respostas a suas perguntas. Sei tão-somente que Deus me chamou e que lhe devo obedecer. Você virá comigo?

A história completa de Sarai andando com Abrão estende-se por 12 capítulos do livro de Gênesis. Depois, nos versículos 8-11 do capítulo 11 de Hebreus (que conhecemos como a "Galeria dos heróis da fé"), encontramos uma retrospectiva sucinta de toda a aventura.

— Será que vou? Devo deixar minha casa? Meu jardim? Meus bichinhos de estimação? Meus primos e primas? Meus amigos? Para onde vamos? Nem ele sabe! Para muito longe? Quanto tempo vai demorar?[1] Nos dias atuais, as mulheres fazem as mesmas perguntas, exatamente como Sarai.

— Não sei, Abrão. Vivo aqui desde menina. Nós nos casamos e para esta casa você me trouxe. Aqui eu cresci. Agora você me diz que temos de ir para algum lugar que você nem sequer sabe onde fica, só porque uma voz lhe falou e

---

[1] Adaptado. [N. do E.]

você acha que deve atender. Isso é meio vago, não acha? Nenhum mapa, nenhuma estrada, nenhuma indicação precisa... Seguiremos uma voz. Como saberemos o final da jornada?

E ela prossegue:

— Está bem, Abrão, dediquei meu amor a você, prometi que aonde você fosse eu iria; que o amaria, honraria e lhe seria submissa. Por isso eu vou.

Imagino que Sarai tenha oferecido um gostoso jantar para informar os vizinhos, a família e os amigos.

Ela deve ter usado tudo o que havia de bonito para essa ocasião especial. Depois, começou a empacotar as coisas — apenas o necessário para iniciar um novo lar; nada de excesso de bagagem. Dobrou seus esvoaçantes mantos de seda. Venderam os móveis. Fizeram muitas doações.

Talvez tenha arrancado alguns pés de plantas que floresciam em seu jardim para reparti-las com as melhores amigas. Provavelmente, sentiu um nó na garganta enquanto tomava todas as providências para partir.

Eles levaram consigo os rebanhos, os camelos, o gado e as ovelhas. Abrão mandou fazer uma tenda especial. Sarai aprendeu a cavalgar um camelo. Tudo o que havia representado segurança para Sarai ficou para trás.

Pela fé, Abrão foi "chamado" para partir. Ele "obedeceu" — sem saber para onde ia. Ele "habitou" ou viveu em uma terra estranha, "habitou" em tendas, "buscou" uma cidade, "foi persuadido", "creu" e "esperou".

Essa mesma fé ajudou a fazer de Sarai uma mulher paciente. Abrão ouviu a voz, e Sarai acreditou em Abrão.

Sarai era uma mulher bonita. Muitas vezes, sua beleza foi reconhecida por homens e reis dos países por onde eles passavam. Embora fosse obstinada e voluntariosa, parece que ela e Abrão ponderavam sobre os fatos. Isso sempre ajuda.

SEM MAPA

Começaram a viagem margeando o rio Eufrates. Se tivessem atravessado o deserto, teria sido uma viagem de aproximadamente 1.300 quilômetros, mas Abrão seguiu o rio a fim de terem água e alimento para os rebanhos — por isso a jornada ficou mais longa. Terá, o pai de Abrão, morreu em Harã. Depois disso, continuaram a viagem para cumprir a vontade de Deus. Abrão estava com 75 anos e Sarai com 65, portanto não eram muito jovens.

Um dia, Deus apareceu de novo a Abrão e disse-lhe que ele e Sarai teriam uma descendência tão numerosa quanto a areia do mar e as estrelas do céu; e todas as nações do mundo seriam abençoadas por meio de sua descendência. Ele mudou o nome dos dois para Abraão e Sara, quando Abraão já estava com 99 anos (Gênesis 17).

Sara, cujo novo nome significava "princesa", ouviu a conversa entre Deus e Abraão à porta da tenda. Riu quando ouviu os visitantes de Abraão prometer-lhe um filho. No entanto, o Senhor disse a Abraão: " 'Por que Sara riu e disse: 'Poderei realmente dar à luz, agora que sou idosa?' Existe alguma coisa impossível para o SENHOR?' " (Gênesis 18.13,14).

Sara deve ter pensado:

> Como isso pode ser verdade? Já percorri todos esses quilômetros, vivendo nesta tenda de pele de cabra, sem ter com quem conversar, a não ser as servas. Tenho estado muito sozinha — não tenho filhos para educar. Já passei da menopausa, e meu corpo já perdeu a juventude; meus tecidos estão enrugando. Eu, dar à luz um bebê? Como isso pode ser possível?

Sara, porém, adquiriu fé para crer

> [...] e deu um filho a Abraão em sua velhice, na época fixada por Deus em sua promessa.

> Abraão deu o nome de Isaque ao filho que Sara lhe dera [...]. E Sara disse: "Deus me encheu de riso, e todos os que souberem disso rirão comigo" (Gênesis 21.2,3,6).

Talvez não pensemos em Sara como uma mulher paciente; mas gosto da ideia de que ela *aprendeu* a ter paciência. Ouviu a promessa. Obedeceu a Abraão. Manteve sua fé acesa. E, finalmente, viu a compensação de todos aqueles anos de jornada e fé.

Quando iniciaram a viagem, seu nome era Sarai, que significa "contenciosa". Mas essa orgulhosa, obstinada, arrogante e bela mulher deixou que a paciência amadurecesse até Deus mudar-lhe o nome para "princesa". Ela foi transformada, no deserto.

"ESTAMOS MUDANDO — VENDEMOS TUDO ABAIXO DO CUSTO"

Atualmente, as famílias mudam de residência com regularidade. As estatísticas dizem que, de cada cinco famílias, uma se mudará no decorrer do ano. No fundo do coração, a mulher preferiria conservar suas raízes, fazer amizades e sentir-se segura.

Não faz muito tempo, uma amiga escreveu-me: "Como boa esposa de militar, estou bem entusiasmada com esta mudança e com a ideia de fazer novos amigos e ter uma nova casa". Ela trabalhara duro e conseguira uma bela casa. Agora, o marido, militar, fora transferido. Ela havia adquirido o espírito certo — espírito de equipe com o marido, para tornar a vida dos dois a melhor possível.

As mulheres têm de mudar-se por vários motivos. Os anúncios classificados de quase todos os jornais trazem mensagens do tipo: "Estamos mudando — vendemos tudo abaixo do custo".

É realmente difícil começar os preparos para a mudança. Quando nosso ministério se mudou, tivemos de deixar 25 anos de vida na América do Sul, empacotar nossos pertences e mudar de casa e de escritório rumo a Miami. Nas arrumações, encontrei a caixa que continha nossas cartas de amor do tempo de noivado, cartas escritas 32 anos antes; a caixa com as antigas fotografias da família; a caixa com o laço de meu "buquê" de noiva. Encontrei o vestido de meu casamento com as luvinhas brancas; a caixa com as bonecas de Raquel; as pinturas de Mona durante seus 16 anos de estudo na escola e no curso de artes; os fósseis, as pedras e os artigos de Rocky; além de cartões de datas especiais e poesia.

Uma caixa continha os sapatinhos vermelhos com que Mona aprendera a andar. Tinha também sua primeira colher de nenê e o xale de crochê. Encontrei cartas de minha mãe que inspiravam fé e falavam de suas orações por nós naqueles primeiros anos de serviço missionário. Havia discos, partituras e estudos que eu havia ministrado.

Por onde começar? O que guardar? O que vender? O que dar? Sei que muitas de minhas leitoras passaram por isso também.

Na verdade, quando voltamos aos Estados Unidos depois de tomadas as decisões, encontrei a casa de nosso filho na mesma situação. Eles estavam seguindo a voz que os ordenava a ir, partir, obedecer e seguir. Estavam deixando tudo e mudando-se para a Argentina como missionários. Haviam tomado a mesma decisão que tomamos no passado.

À semelhança de Sara — seguiam a Deus sem mapa algum. Quando vemos um mapa e o calendário, conseguimos crer e ter paciência. O Senhor fez que Hebreus 10.36 fosse real para mim na juventude: "Depois de ter feito a vontade de Deus, é preciso ter paciência para receber a promessa contida nesse versículo". Primeiro, obedecemos, depois aguardamos com paciência — em seguida, vem o cumprimento e o prêmio.

A corrida nem sempre é veloz, nem a batalha é acirrada. Ganha-se a corrida com paciência, com garra e com o aprendizado de andar com Deus, passo a passo, sem mapa.

> Se no caminho do dever eu andar,
> Se até o fim do dia eu trabalhar,
> Verei em sua beleza o grande Rei
> Quando a última milha do caminho
> Eu terminar de percorrer.

AVALIE SUA SITUAÇÃO

1) Quais são alguns dos sinais de impaciência na fila do supermercado?

2) Por que uma mulher impaciente é mais propensa a acidentes?

3) Por que a Palavra diz que a tribulação produz paciência?

4) Como um agricultor pode mostrar impaciência?

5) De que modo a paciência de Jó é demonstrada na Bíblia?

6) Qual foi a recompensa de Jó pela paciência?

7) Que problemas e provações produziram paciência na vida de Sara?

8) Qual foi a última vez que você ficou impaciente?

9) Qual a sua atitude diante de uma mudança de planos?

10) A prática produz a perfeição. Como cultivar a paciência, fruto do Espírito, em nosso jardim?

11) Você marcou em sua Bíblia algumas passagens das Escrituras citadas neste capítulo? Elas serão de grande ajuda.

6

A amabilidade

Ana — incompreendida, porém, tranquila

1Samuel 1 e 2

Na maternidade, uma enfermeira lavava o rosto de uma jovem que acabara de dar à luz.

— Você tem família? — perguntou a mãe.

— Ó, sim, tenho dois meninos — respondeu a enfermeira.

— Achei que sim, pelo seu jeito de me esfregar o rosto — disse a jovem.

Que tal a sua maneira de ser? Você é amável? Tem um toque suave? É ríspida no trato? Sua voz é áspera? É brusca? Dizem que a pessoa sisuda tem coração terno. Mas não conheço ninguém que seja atraído por uma pessoa carrancuda. Jesus disse: " '[...] e aprendam de mim, pois sou manso e humilde de coração [...]' " (Mateus 11.29). Jesus é amável e terno, por isso quer que sejamos iguais a ele.

CHEIAS DE GRAÇA

"[...] o fruto do Espírito é [...] amabilidade [...]". Amabilidade é amor refinado. Essa qualidade revela-se em nossa maneira de tratar os filhos e as pessoas mais idosas, de lidar com os problemas e também de cuidar dos animais. Ser amável nas pequenas coisas é uma forma de comportamento quase esquecida. Demonstra-se em frases simples, como "Muito obrigada pela boa refeição" e "Com licença", quando deixamos a mesa. É agir com respeito, ser ponderada, atenciosa e generosa. A mulher amável é cheia de graça e educada.

Efésios 4.32 ensina-nos a ser amáveis: "Sejam bondosos e compassivos uns para com os outros, perdoando-se mutuamente, assim como Deus os perdoou em Cristo". Bom seria se aprendêssemos a citar esse versículo em nossa família desde a infância. Na realidade, a vida agitada de hoje tende a deixar irritados mesmo alguns cristãos. Vivemos sempre com pressa. Somos impacientes com as pessoas, mal-educados e ríspidos. Não é fácil ser amável hoje em dia. Devemos aprender, porém, a ser mulheres bondosas pela graça de Deus. Estamos estudando o fruto do Espírito.

E Deus deseja que cultivemos a amabilidade no jardim de nossa vida.

Lembro-me das mãos de meu pai. Depois que sofreu um acidente, a mão esquerda ficou reduzida à metade. Mas havia ternura naquelas mãos. Quando eu patinava no gelo, caí e fraturei o crânio, ele providenciou uma compressa fria e colocou-a delicadamente sobre o ferimento. Em seguida, trouxe-me chá e trocou o algodão. Ele sabia fazer um curativo suave.

Em outra ocasião, quando eu estava me vestindo para o recital de piano, foi ele que, com muito cuidado, deu o laço na faixa de meu vestido de seda. Ajeitou as pontas para que caíssem iguais. Quando ficava sabendo de críticas e mal--entendidos que me atingiam, sua palavra era sempre amável, sábia e bondosa: "O tempo cura todas as feridas".

Em 1 Tessalonicenses 2.7, lemos: "[...] fomos bondosos quando estávamos entre vocês, como uma mãe que cuida dos próprios filhos". Ah, o toque suave da mão sobre a testa febril! As noites passadas ao lado do filho doente — a amabilidade de espírito: esse fruto do Espírito refrigera os outros.

INSEGURANÇA

Fala-se muito atualmente de rivalidade entre irmãos. Creio que essa rivalidade reflete a atitude dos pais. A verdade é que devemos preparar a criança para receber o novo membro da família. Não podemos dar espaço para o ciúme. Temos de envolver nosso filho nos preparativos, fazendo-o perceber que estamos esperando o "nosso" bebê.

Lembram-se de que Miriã ajudou a preparar o cesto para Moisés? Essa tarefa tornou-a responsável pela proteção do irmão e incutiu-lhe uma atitude de amabilidade. A criança que belisca ou morde o novo irmãozinho revela insegurança; entretanto, podemos ajudá-la com nossa amabilidade.

No livro de Bill Sands, *My Shadow Run Fast* [Minha sombra anda rápido], ele relata os espancamentos que recebia da mãe, que o disciplinava com uma vara cheia de espinhos. A crueldade da mãe causou tanta revolta no coração do filho, que ele resolveu se tornar criminoso, embora o pai fosse o respeitável juiz da cidade. Sands conta a longa estrada que percorreu até a delinquência, estrada que começou com a falta de amabilidade no lar.

Creio que o afeto deve expressar-se abertamente no lar. Esse é o plano de Deus. Os filhos crescerão carinhosos se houver atitude afetiva e franca em casa. Às vezes, nossa natureza obstinada leva-nos a ser amargas, rudes, ásperas e insensíveis; todavia, a semente da amabilidade só pode germinar no solo fértil da bondade.

A PALAVRA ENSINA

1) Davi tinha natureza bondosa:
   a) "Por amor a mim, tratem bem o jovem Absalão!" (2Samuel 18.5).
   b) "[...] a tua ajuda me fez forte" (2Samuel 22.36). Embora guerreiro, Davi era um homem segundo o coração de Deus.
2) O servo do Senhor deve ser bondoso:
   a) "O Soberano, o Senhor, vem com poder! Com seu braço forte ele governa [...]. Como pastor ele cuida de seu rebanho [...]" (Isaías 40.10,11).
   b) "Não quebrará o caniço rachado [...]" (Isaías 42.3).
   c) "Ao servo do Senhor não convém brigar, mas, sim, ser amável para com todos, apto para ensinar, paciente" (2Timóteo 2.24).
   d) "não caluniem ninguém, sejam pacíficos [...] e mostrem sempre verdadeira mansidão para com todos os homens" (Tito 3.2).
3) Nosso adorno como mulher:
   a) "[...] espírito dócil e tranquilo, o que é de grande valor para Deus" (1Pedro 3.4).
   b) "[...] revistam-se de profunda compaixão, bondade, humildade, mansidão e paciência" (Colossenses 3.12,13).

4) Amabilidade equivale a sabedoria:
   a) "Mas a sabedoria que vem do alto é antes de tudo pura; depois, pacífica, amável, compreensiva, cheia de misericórdia e de bons frutos, imparcial e sincera" (Tiago 3.17).
   b) "O seu falar seja sempre agradável e temperado com sal, para que saibam como responder a cada um" (Colossenses 4.6). Ande em sabedoria; tenha uma vida bondosa.

Veja, a seguir, uma lista das atitudes que caracterizam a amabilidade e das que não a caracterizam:

Características próprias	Características opostas
espírito manso, tranquilo	adorno exterior
gentil	áspera
fácil de lidar	contenciosa, rixenta
humilde, mansa	arrogante
sábia	difamante
misericordiosa	vingativa
pacífica	amargurada, invejosa
bondosa	maldosa
consagrada	moldada pelo mundo
produz bons frutos	parcial, hipócrita
eterna	corruptível
produz boas obras	sensual

A NATUREZA DO PASTOR

Em Isaías 42, encontramos dois retratos de Jesus. Primeiro, nós o vemos como Pastor. Ele recolhe a ovelha ferida. É amável, cuida dela e a conduz com ternura. O segundo retrato é o de servo. Ele não "quebrará o caniço rachado, e não apagará o pavio fumegante" (v. 3).

Às vezes, percebemos nossos jovens vacilando entre cumprir a vontade de Deus e rebelar-se, desobedecer, fazer o que bem entendem e seguir os passos da multidão. Mediante nossa atitude, podemos encaminhá-los a qualquer dessas direções. Se formos rudes, amargas e criticarmos o povo de Deus, esses jovens certamente tomarão a direção do mundo.

Quando o caniço desses jovens estiver esmagado, que haja em nós sentimento amável e ternura. Que possamos nos colocar ao lado deles, servindo-lhes de apoio, ajudando a consertar e a fortalecer essas plantas novas. Em vez de arrasar a vida dos que já estão quebrados, devemos encorajá-los, levantá-los e cuidar para que sigam na direção do Pai.

USE SUA TESOURA DE OURO PARA PODAR

Na Bíblia toda, vemos que os instrumentos utilizados por Deus para moldar são sempre de ouro (no tabernáculo, por exemplo). É como se o ouro representasse algo do caráter divino. Quando o pavio fumegava, o sacerdote apanhava a tesoura de ouro, levantava o pavio com pinças também de ouro e cortava o carvão com cuidado, dando-lhe forma perfeita, em vez de extinguir o pavio fumegante.

Não é intenção de Deus que percamos nossa personalidade. Ele nos criou e deseja nos usar com todo o cuidado, quer aparar as áreas "chamuscadas" de nossa personalidade. Desse modo, o Senhor ensina-nos a ser delicadas no trato com outras pessoas — a ser mulheres cheias de graça. Sejamos cuidadosas na maneira de corrigir os outros.

NOTEI A SUA NATUREZA BONDOSA

> "Quando fui para o seminário bíblico, passei a observar as pessoas a meu redor. Descobri que algumas eram rudes, iravam-se e reclamavam. Outras eram como a palha que voa ao vento. Depois observei Rocky. A tranquilidade e a amabilidade que ele revelava me ensinaram que, se ele podia ser assim, eu também poderia. Dou graças a Deus pelo exemplo de Rocky".

Assim escreveu um jovem que observava nosso filho e que, mais tarde, se tornou nosso genro. Ninguém vive para si mesmo. Ninguém morre para si mesmo. Temos uma grande esfera de influência. "Observei sua vida, seu comportamento gentil; eu necessitava de amabilidade, da maneira tranquila que você fala. Sua atitude foi um bálsamo para meu espírito ferido."

Quando recebemos cartas assim, somos estimuladas a continuar sendo amáveis.

> *Bondoso Pastor, vem ajudar-nos,*
> *Pois necessitamos de teu cuidado terno.*

DOCILIDADE EM FACE DA PROVAÇÃO[1]

— Por que você vem embriagada à igreja, Ana? Procure controlar a bebida.

— Oh, não, não andei bebendo. Minha alma está angustiada. Estava conversando com Deus acerca de meu problema.

Eli, o sacerdote, fora cruel ao julgar Ana de maneira tão errada. Ela se acostumara, todavia, a ser insultada, ridicularizada e incompreendida. O seu problema acompanhava-a constantemente. Ela sabia que Elcana, seu marido, a amava; mas eles não tinham filhos: "[...] o Senhor a tinha deixado estéril. E porque o Senhor a tinha deixado estéril, sua rival a provocava continuamente, a fim de irritá-la" (1Samuel 1.6). Penina, a segunda mulher

---

[1] Adaptado de 1Samuel. [N. do E.]

de Elcana, tinha vários filhos, ao passo que Ana era estéril. Na casa onde as duas viviam, havia muito egoísmo e frequentes insultos. Humilhada e com o coração cheio de amargura, Ana foi ao templo pedir um filho a Deus: "Ó SENHOR dos Exércitos, se tu deres atenção à humilhação de tua serva, te lembrares de mim e não te esqueceres de tua serva, mas lhe deres um filho, então eu o dedicarei ao SENHOR por todos os dias de sua vida [...]" (v. 11).

Eli, que a estava observando, julgou-a embriagada. Ao ouvir a explicação de Ana, respondeu: "Vá em paz, e que o Deus de Israel lhe conceda o que você pediu" (v. 17).

A alegria começou a borbulhar no bondoso coração de Ana. Ela lavou o rosto e comeu com muito apetite. Havia muito tempo não achava a comida tão saborosa. O peso do coração havia sido removido. Retornou para casa e, em seguida, soube que Deus havia respondido a sua oração. Estava esperando um filho.

Conhecemos a história de Samuel, filho de Ana, e sabemos como Deus o chamou durante a noite. Samuel era o filho prometido e seu nome significa "pedido a Deus".

Ana preparou-o em casa, aconselhou, instruiu e orientou. Ela não se esqueceu da promessa de o devolver a Deus. Samuel era bem pequeno quando seus pais o deixaram no templo para servir Eli e ao Senhor.

Posso imaginar a situação de Ana ao voltar para casa, agora tão silenciosa. Já não se ouvia o ruído de pezinhos. Parecia tão vazia! No entanto, Ana cantou: "Meu coração exulta no SENHOR [...]" (1Samuel 2.1). Conservou a amabilidade, sabendo que Deus tudo controlava. Todos os anos, Ana fazia uma nova túnica e levava-a para Samuel. Deus honrou a amabilidade de Ana, dando-lhe mais três filhos e duas filhas.

A mãe de Samuel percebeu a importância daqueles primeiros anos no preparo do filho. Ela deve ter transmitido sua natureza amável para ele. Se ela tivesse demonstrado amargura contra Penina, Samuel podia ter-se transformado num menino revoltado e inútil para o serviço no templo do Senhor. Ana, porém, ensinou-o corretamente.

TANTO A APRENDER!

Os psicólogos dizem que até o terceiro ano de vida a criança aprende metade de tudo quanto deve aprender. Parece incrível, mas convém pensar um pouco sobre isso. O que o bebê sabe quando nasce? Sabe chorar, mamar e segurar.

O bebê aprende desde cedo a distinguir a aprovação da reprovação, conhece o calor, o amor e a alegria. Também aprende a sentir medo e ódio. Graças a Deus pelos lares que *não* ensinam isso!

O bebê sabe distinguir o medo na voz de uma pessoa. Podemos transmitir confiança pela maneira de falar com ele.

A criança pequena aprende a comer com a colher e a perceber o sabor dos diferentes alimentos. Rejeita o que não gosta. Aprende a equilibrar-se, a ficar em pé, a andar, a cair e a levantar-se, a focalizar os objetos, a pronunciar sílabas e palavras, a cantar, a orar e a repetir.

Foi muito divertido ter nossa netinha Kristi conosco durante alguns dias, quando ela estava com nove meses. Sempre que ela ficava cansada e triste, eu dizia: "Vamos, lá-lá-lá Kristi". Ela ouvia, acalmava-se e então cantava: "Lá-lá-lá". Podemos ensinar os filhos a ter o coração alegre e a livrar-se das inquietações que os afligem, cantando.

Provérbios 22.6 diz: "Instrua a criança segundo os objetivos que você tem para ela, e mesmo com o passar dos anos não se desviará deles". Ela continuará andando no caminho certo se for treinada desde cedo.

Ana observou esse preceito bíblico fundamental para a educação de crianças durante todo o tempo em que Samuel esteve em sua companhia. Deuteronômio 6.5-7 diz:

> [...] *Ame o SENHOR, o seu Deus, de todo o seu coração, de toda a sua alma e de todas as*

suas forças. Que todas estas palavras [...] estejam em seu coração. Ensine-as com persistência a seus filhos. Converse sobre elas quando estiver sentado em casa, quando estiver andando pelo caminho, quando se deitar e quando se levantar.

Esse ensino deve ser escrito nas paredes da casa para que a memória dos filhos o registre. É importante conversar com as crianças acerca do Senhor, ler juntos a Palavra de Deus e entregar o nosso dia nas mãos divinas. Devemos orar antes das refeições e pedir sempre a proteção celestial.

Também devemos decorar juntos trechos da Palavra de Deus. Um método muito eficaz são os jogos bíblicos. Lembro-me de quando viajávamos muitos quilômetros visitando igrejas. No trajeto, organizávamos brincadeiras com nossos três filhos, que viajavam no banco traseiro do carro. Dizíamos: "Estou pensando em...", e eles tinham de descobrir a personagem bíblica com base em nossas respostas às perguntas que faziam.

Há muitos passos na educação de uma criança que podem levá-la a ser uma pessoa completa. Primeiro, temos de falar com ela; em seguida, ensinar-lhe (e isso significa "servir de exemplo"); depois trabalhar com ela e discipliná-la.

Em nosso estudo sobre o fruto da alegria, mencionamos a roleta da herança genética.

Na fecundação, ocorre a fusão de 46 cromossomos, 23 do pai e 23 da mãe. Da nova célula que dá origem a uma pessoa, há 15 milhões de possíveis combinações de características. Nosso temperamento é herdado, mas desenvolvemos o caráter e refinamos a personalidade — aquilo que os outros veem e identificam em nós.

É importante lembrar que a graça de Deus pode transformar qualquer temperamento, e a vida guiada pelo Espírito pode refinar qualquer caráter ou personalidade. Podemos cultivar em nós o fruto da amabilidade, vivendo pelo Espírito.

Jesus amava João, que, embora fosse um dos "filhos do trovão", tinha natureza afável. Pendurado na cruz, Jesus lembrou-se de Maria, sua mãe, e pediu a João que a levasse e cuidasse dela como se fosse a própria mãe do discípulo.

AMOR TERNO E SOLÍCITO

Deus importa-se conosco. Mateus 6.25-34 diz que Deus cuida dos pardais e sabe quando eles caem. Do mesmo modo, cuida dos lírios e sabe quando eles florescem. O Pai celestial cuida de nós da mesma forma que a essas criaturas. Ele nos ama com ternura — somos seus filhos. Porque Deus nos ama, podemos manifestar "amor terno e solícito" aos outros.

A AMABILIDADE NO CASAMENTO

Você gosta de ver um casal idoso de mãos dadas? Eu também. Mas também já viu alguma vez um casal à mesa de um restaurante, os dois completamente alheios em relação ao outro? Talvez ela esteja olhando para fora, pela janela, enquanto ele lê o jornal ou passeia os olhos vagamente ao redor. Parece até que se evitam mutuamente, embora estejam juntos.

Como a mulher pode cultivar a amabilidade no casamento e mantê-la viva? Acrescente suas sugestões a esta lista parcial:

- conservar uma linguagem amável;
- adaptar a maneira de ser aos desejos dele;
- preparar os alimentos de que ele gosta;
- ter a mesa posta e pronta quando ele chegar;
- preferir dar honra um ao outro;
- conservar-se limpa, não apenas perfumada;
- interessar-se pelas coisas de que ele gosta.

A AMABILIDADE PARA COM OS QUE SOFREM

O que você faz quando vê um cego esperando para atravessar a rua? Passa longe e às pressas? Ou gasta um minuto para oferecer-lhe ajuda gentilmente? Talvez ele não queira nem precise, mas sua atenção amável acrescentará uma nota suave ao dia dele.

Como você reage quando alguém com deficiência mental deseja conversar com você? Estende-lhe a mão com um cumprimento e a trata com dignidade? Como trata os vizinhos com mais problemas que você? Eles também precisam de Cristo e podem ser levados até ele se forem tratados com amabilidade e bondade.

A TODAS AS PESSOAS

Lembro-me de um amigo evangelista. Ele falava a multidões de dez mil pessoas num estádio, mas era tão atencioso com a humilde viúva índia quanto com o presidente da República. Dispensava igual atenção a todos os que o procuravam.

Minha oração por você, leitora, é que se aproprie da natureza bondosa de Cristo, vivendo pelo Espírito.

BALANÇO DA PRODUÇÃO DE NOSSO JARDIM

1) Como você reage diante de uma pessoa com deficiência mental?
2) Se o carro a sua frente demora a sair quando o sinal abre, como você se comporta?

3) Como você reage quando vê alguns jovens da igreja envolvendo-se em práticas questionáveis? Já pensou alguma vez em ajudar a abrir um centro de recreação ou uma sala de jogos para esses jovens?

4) Se houver um problema em sua igreja, como você protegerá seus filhos da raiz de amargura que poderá brotar na vida deles?

5) Existe alguma coisa em sua vida que exige sacrifício tão grande quanto o de Ana?

6) Que problemas as mulheres atuais enfrentam que sejam semelhantes aos da casa de Ana?

7

A bondade

Febe — podemos contar com você

Romanos 16

"*Johnny, be good.*" "*Jane, be good now.*"[1]

"... o fruto do Espírito é [...] bondade." O que significa *ser bom*? No primeiro dia de aula de um menininho nos Estados Unidos, quando a professora estava organizando a lista de chamada e perguntou o nome dele, ele respondeu: "Johnny Não Sou". Tinha dificuldade para ser "bom".

"Bondade" é a qualidade de quem é bom. "Bom" significa autêntico, sadio, puro, verdadeiro, reto, casto, prudente, correto e honrado. Você conhece alguém cheio de bondade?

---

[1] João, seja bonzinho. Jane, fique boazinha agora.

O versículo 23 do salmo 37 é decisivo: "O Senhor firma os passos de um homem, quando a conduta deste o agrada". Quando não conhecíamos o amor de Cristo, não havia bondade em nós, mas quando passamos a viver pelo Espírito, um passo de cada vez, a bondade cresce. O viver pelo Espírito livra-nos de nossas fraquezas naturais.

Acabamos de estudar a amabilidade. Em que aspectos podemos compará-la à bondade? Em que elas diferem? Acredito que a amabilidade é característica de nosso caráter; podemos ter natureza bondosa. A bondade seria a manifestação desse caráter em nosso relacionamento com os outros.

TRANSFORMADA

Juana, uma japonesa que recebeu Jesus no Centro Evangelístico de La Paz, Bolívia, era proprietária de um restaurante na encosta da montanha. Tinha uma perna, uma das mãos e o braço aleijados em consequência de uma queda ocorrida no Japão, aos três anos de idade. Juana dizia, em seu testemunho, que antes de conhecer o Senhor Jesus, era muito mesquinha. As crianças zombavam de Juana e davam-lhe apelidos pelo fato de ela arrastar uma perna. Depois da conversão, entretanto, aquela mesquinhez e a má índole foram de tal modo banidas de seu caráter que as crianças agora eram atraídas por ela.

Costureira talentosa, Juana fazia camisas para os pastores. À medida que o fruto da bondade se desenvolvia, ela se tornava excelente professora da classe dos principiantes na escola bíblica. A mesquinhez se transformara em bondade.

Voltemos a Tito 2.1-14 para o nosso estudo da bondade. Vejamos o que o texto sagrado nos diz:

> Você, porém, fale o que está de acordo com a sã doutrina. Ensine os homens mais velhos a serem moderados, dignos de respeito, sensatos e sadios na fé, no amor e na perseverança.
>
> Semelhantemente, ensine as mulheres mais velhas a serem reverentes na sua maneira de viver, a não serem caluniadoras nem escravizadas a muito vinho, mas a serem capazes de ensinar o que é bom. Assim, poderão orientar as mulheres mais jovens a amarem seus maridos e seus filhos, a serem prudentes e puras, a estarem ocupadas em casa, e a serem bondosas e sujeitas a seus maridos, a fim de que a palavra de Deus não seja difamada.
>
> Da mesma maneira, encoraje os jovens a serem prudentes. Em tudo seja você mesmo um exemplo para eles, fazendo boas obras. Em seu ensino, mostre integridade e seriedade; use linguagem sadia, contra a qual nada se possa dizer, para que aqueles que se opõem a você fiquem envergonhados por não poderem falar *mal de nós*.

> Ensine os escravos a se submeterem em tudo a seus senhores, a procurarem agradá-los, a não serem respondões e a não roubá-los, mas a mostrarem que são inteiramente dignos de confiança, para que assim tornem atraente, em tudo, o ensino de Deus, nosso Salvador.
>
> Porque a graça de Deus se manifestou salvadora a todos os homens. Ela nos ensinou a renunciar à impiedade e às paixões mundanas e a viver de maneira sensata, justa e piedosa nesta era presente, enquanto aguardamos a bendita esperança: a gloriosa manifestação de nosso grande Deus e Salvador, Jesus Cristo. Ele se entregou por nós a fim de nos remir de toda a maldade e purificar para si mesmo um povo particularmente seu, dedicado à prática de boas obras.

Essa passagem bíblica põe uma enorme responsabilidade sobre nossos ombros. Como mulheres, precisamos ser mestras do bem. Devemos reconhecer que as pessoas nos observam. Diz o provérbio: "O que você faz fala tão alto que não consigo ouvir o que você diz". A nossa vida é a melhor publicidade do evangelho.

VOCÊ É TRANSPARENTE

Uma moça me confidenciou, depois de eu haver falado sobre a importância dos ensinamentos de uma mãe no lar: "Quem dera minha mãe ouvisse essa palestra! Quem dera ela vivesse em casa aquilo que testemunha nas reuniões de mulheres da igreja. É por isso que hoje estou perdida, amarga e rebelde". Mães, nós somos transparentes.

Há um atrativo espiritual na simples bondade. Viva com prudência. Seja cuidadosa no modo de viver, de vestir-se e de falar. Seja cuidadosa na forma de referir-se ao marido. É fácil dizer: "Meu marido nunca me dá atenção. Ele é impossível". Mas alguém pode dar a esse comentário importância maior do que realmente tem. A bondade de nosso marido e a nossa podem ser maculadas por comentários desatentos.

Não conversem maldosamente a respeito um do outro. Não contem aos sogros os pequenos defeitos que vocês descobrem. Não digam aos filhos: "Vocês sabem que seu pai é muito descuidado...".

A bondade manifesta-se de muitos modos. Reflete-se na limpeza que você mantém no corpo e no lar. Não use roupas cheirando a suor nem camisetas rasgadas ou aventais sujos. Use o bom senso no vestir-se. Peça ao Espírito Santo que a ajude a mostrar bondade para com os filhos.

Um aspecto da bondade é o bom juízo. Seja prudente ao tratar de coisas íntimas entre você e seu marido. Isso faz parte da castidade.

Conserve seu lar confortável e atraente. Somos mestras do bem. Ensine seus filhos a fazer tudo corretamente. Às vezes, falamos demais *sobre* nosso filho; é preciso antes falarmos a *ele*, ensinando-o a ser bondoso.

NÃO RESMUNGUE

Uma moça que morou conosco durante muitos anos vivia resmungando com as chaleiras e panelas! Você conhece alguém que está sempre murmurando baixinho? Alguém que nunca concorda com nada? Às vezes, ouvimos algumas mulheres preparando um almoço especial ou uma reunião de confraternização na igreja ao mesmo tempo em que reclamam entre elas na cozinha. Do mesmo jeito de Marta. Nós, ao contrário, temos de nos esforçar para demonstrar toda a boa vontade e energia em tudo quanto nos vier às mãos para fazer. Somos o adorno do evangelho!

CONFIÁVEL

Vou apresentar-lhe outra mulher cheia de graça. Ela era solteira, diaconisa da igreja de Cencreia, importante porto marítimo de Corinto.

Segundo o *Manual Bíblico de Halley* e outras fontes, Febe foi a portadora da carta de Paulo aos romanos. Parafraseando a apresentação de Febe em Romanos 16.1-2, poderíamos dizer:

> Estou enviando esta carta a vocês, italianos, pela mão de Febe. Ela é nossa irmã e incansável obreira da igreja. Está sempre ajudando alguém, e todos a conhecem por suas boas obras. A qualquer pessoa que bata à sua porta, marinheiro ou peregrino, ela recebe e ajuda. Febe tem-me ajudado muitas vezes. É uma mulher de negócios digna e inteligente.

Não é afetuoso esse quadro que Paulo nos apresenta? Nessa carta especial, ele diz aos judeus italianos que eles precisam ser transformados pela renovação da mente, que não se devem conformar com o mundo, mas estar preparados para apresentar o corpo em sacrifício vivo. Paulo conclui a carta com a apresentação de Febe e com saudações pessoais carinhosas a uma lista de amigos. Parece que quase a metade das pessoas que ele lembra especialmente pelo nome, nesse último capítulo, é composta de mulheres. Paulo entregou essa carta nas mãos de Febe porque sabia que ela era digna de confiança. E ela cumpriu o papel que estudamos no capítulo 2 da carta a Tito. O fruto da bondade estava na vida dela. O apóstolo podia confiar nela.

Vejamos as outras mulheres que Paulo menciona aqui.

AMIGOS DE FEBE

Paulo envia saudações a Priscila e Áquila. Eram dois cooperadores especiais na obra. Tinham até arriscado a vida por Paulo. O versículo 6 fala de Maria, que trabalhava duro e era dada à prática da hospitalidade e das boas obras.

No versículo 12, vêm as duas irmãs Trifena e Trifosa, que trabalhavam ao lado de Pérside. Em seguida, ele envia saudações especiais a Rufo, "[...] eleito no Senhor" (v. 13). Ao que parece, Rufo era negro, como seu pai, Simão de Cirene, aquele que ajudou Jesus a carregar a cruz (Marcos 15.21).

Posso imaginar a cena vivida por Simão, o Cireneu. Ele chegou tarde em casa, no dia da crucificação.

> "Querida, me perdoa por chegar tão atrasado, mas hoje participei de um estranho acontecimento. Os romanos puseram sobre os meus ombros a cruz de um condenado à morte. Caminhei ao lado dele. Ele não se queixava, não oferecia resistência. Andava com dignidade, como se soubesse para onde ia e por quê. Vi quando lhe cravaram os pregos nas mãos e nos pés. Depois, enfiaram-lhe uma lança entre as costelas. E tudo ficou completamente escuro! Foi pavoroso! Jamais serei o mesmo depois disso. Acredito que ele era realmente o Filho de Deus."

É provável que Rufo tenha ouvido essa conversa.

Lembro-me de quando eu era criança e ouvíamos o carro de bombeiros passar; montávamos todos nas bicicletas e íamos ver o que estava acontecendo. Penso que Rufo fez o mesmo. Ele deve ter se esgueirado pela porta e subido o monte. Tinha de ver o quadro de perto. Talvez tenha chegado a tempo de ver Jesus ser retirado da cruz. Quem sabe tenha visto os soldados romanos que haviam lançado sortes para ver quem ficaria com o manto tecido, sem costura.

Paulo diz que Rufo era eleito no Senhor, e sua mãe veio a ser uma verdadeira mãe para Paulo. Ela consertava a túnica do apóstolo, preparava-lhe refeições especiais, orava por ele e o hospedava de bom grado. Paulo diz: "[...] e sua mãe, que tem sido mãe também para mim". Essas foram as mulheres que rodearam Febe — todas elas mulheres que ajudavam, cheias de bondade. Foi por isso que o evangelho se espalhou. Havia mulheres que serviam com seus recursos, suas mãos e seu coração.

E VOCÊ?

Há lugar para cada mulher. Há um ministério no fruto da bondade.

Eu estava lecionando num seminário bíblico durante parte de nossas férias quando papai me telefonou, para dizer que mamãe tinha sido submetida a uma cirurgia.

Eu disse a ele:

— Papai, estarei aí. Se eu estivesse na Bolívia, não poderia ir, mas amanhã vou pegar o primeiro avião.

Após a cirurgia, os médicos deram-lhe pouco tempo de vida.

Quando vi mamãe naquele leito de hospital, pela primeira vez observei suas mãos. Mãos finas, bem formadas, atraentes. Ela as havia usado em dramatizações de peças de Shakespeare; mas eu sempre as vira também fazendo bolos, cortando legumes ou amassando pão. Mãos amáveis, auxiliadoras — mãos para servir.

Ela me disse:

— Não tenho nenhum ministério.

— Ah, mamãe, a senhora não tem púlpito, não tem sala de aula, mas tem um longo ministério.

Lembro-me de certa vez em que a casa de um jovem pastor pegou fogo; mamãe foi a primeira a empilhar cobertores, travesseiros, lençóis, alimentos enlatados, leite e carne, colocar tudo no carro e percorrer cerca de 50 quilômetros para ajudar.

Depois do culto dominical, ela procurava descobrir quem necessitava de um convite. Como em nossa cidade havia uma base aérea, os jovens mais atraentes eram os primeiros a ser convidados por outras famílias. Os que sobravam, mamãe convidava. Nossa casa estava sempre aberta.

Lembro-me dos missionários com seus enormes baús enferrujados arranhando o assoalho recém-encerado de meu quarto, enquanto eu ia dormir no sofá da sala de estar. Havia lugar para todo mundo.

— Mamãe, seu dom está em 1Coríntios 12.28. Na lista, além do dom de línguas, milagres, pastores e pregadores, há o ministério do dom de *prestar ajuda*. A senhora sempre estende sua mão auxiliadora, e isso é um ministério ungido pelo Espírito. Todos os seus filhos estão encontrando meios de ministrar, porque a senhora deu o exemplo e mostrou-nos o caminho.

Seis meses depois, quando nos preparávamos para sepultar mamãe, as mulheres choravam enquanto limpavam e preparavam o templo: "Betty Jane, esta é a última vez que podemos servir sua mãe. Ela nos mostrou o caminho, ela serviu a muitos".

Mamãe não fazia parte de nenhuma comissão. Seu nome não figurava no boletim; não era líder da igreja nem ostentava posição importante. Muitas vezes encontrei-a ajoelhada em oração. Ela havia decidido consagrar a vida com a mão estendida. Foi mulher cheia de graça, cheia de bondade e usada por Deus.

Ó, a mão estendida do Senhor
Alcançando os oprimidos,
Que eu possa tocá-la, tocar em Jesus,
Para que outros o conheçam e sejam abençoados.

OBEDECER À INSISTÊNCIA

Acho que este é o lugar para aquela "insistência" especial do Espírito Santo. Conheci uma mulher cujo lar era como um acordeão. Às vezes, os quatro filhos dormiam nos dois dormitórios; outras, eram evangelistas que ocupavam esses quartos. Os alunos do seminário bíblico dormiam nos sofás; os diáconos visitantes, num quarto dos fundos; e os filhos da casa, em sacos de dormir.

Sempre era possível contar com ela para servir uma xícara de chá. E sei que ela fazia isso com o coração feliz. Assim como Febe, estava sempre pronta a socorrer. Era autêntica; uma amiga que auxiliava a muitos.

Lembro-me de uma tarde em que me senti impelida a assar um bolo e visitar uma amiga missionária na Argentina. Meu marido estava na Colômbia, pregando. Eu estava só, convalescendo de uma grave cirurgia e não me sentia bem, mas aquele impulso continuava. Então, disse a mim mesma: "Vou deixar para amanhã".

"Não, *hoje*", insistiu o Espírito.

Então, fui fazer o bolo — que não cresceu.

De novo, eu disse: "Tentarei outra vez amanhã". No entanto, lembrei que minha mãe costumava dizer que era possível consertar um bolo com uma boa cobertura, então tentei isso. Mas a cobertura começou a escorrer por causa da umidade. Em seguida, disse de novo: "Amanhã eu faço outro bolo".

O Espírito, todavia, continuava insistindo: "Hoje". Quando minha filha voltou da escola, arrisquei o convite:

— Que tal irmos visitar nossa amiga Haydé?

— Ótimo, mamãe, vamos!

Essa visita significava viajar 16 quilômetros num ônibus quase caindo aos pedaços, e eu não me sentia bem. Peguei meu bolo mal-acabado, apanhei um livro para ler, colhi algumas flores do quintal e fomos esperar o ônibus.

Quando subi as escadas que levavam ao quarto onde Haydé repousava tentando salvar a gravidez, ela me olhou e disse:

— Jane, quem lhe contou que é meu aniversário?

Como eu podia saber? Seus pais eram missionários na África, a irmã estava no Canadá, e o Espírito Santo me dissera: "Vá prestar ajuda a minha serva". Vamos obedecer à insistência do Espírito e chegar na hora certa!

À medida que a bondade se desenvolve no jardim da nossa vida, tornamo-nos mais bondosas, mais doadoras e mais compreensivas.

"SEM MALÍCIA EM RELAÇÃO AO QUE É MAU"

No fim da carta, em Romanos 16.19, o apóstolo Paulo diz que devemos ser sábias "[...] em relação ao que é bom, e sem malícia em relação ao que é mau". Essa exortação é muito importante e oportuna para as mulheres.

Necessitamos de sabedoria para cultivar o bom fruto. O que pode nos ajudar?

A música atualmente exerce influência poderosa em nosso mundo. Devemos cultivar a boa música no lar. Nossos filhos, desde bem pequenos, devem ser ensinados a cantar canções alegres, cânticos e hinos. Há CDs excelentes no mercado, que envolvem nosso lar numa atmosfera de paz e bondade. Enchem nosso lar com boa música, compensam a música vazia e muitas vezes perniciosa que nossos filhos ouvem fora de casa.

"VOCÊ É AQUILO QUE LÊ"

Quando menina, li um dos livros que pertenciam a meu pai, *Em seus passos que faria Jesus?*,[2] escrito por Charles Monroe Sheldon. Lembro-me

---

[2] United Press, 2005.

de ter ficado impressionada com a integridade que aqueles cristãos recém-convertidos, com novo propósito de vida, liderados pelo Reverendo Henrique Maxwell, tomavam decisões. O livro *influenciou* minha vida; recomendo a leitura. Como mães, devemos ser sábias na escolha do tipo de leitura que nossos filhos têm à disposição.

Podemos colocar boas revistas ou bons livros no banheiro e em outros locais estratégicos. Há revistas e livros evangélicos recomendados como bom material de leitura. Os filhos são guiados pelo que leem.

Diz 1Timóteo 5.22: "Conserve-se puro". É uma ordem. Temos a responsabilidade de procurar ser boas e íntegras. O texto de 2Timóteo 3.1-7 parece manchete de jornais. O mal, abundante em toda a parte, torna as pessoas inimigas do bem.

Chego a tremer quando observo jovens zombando da juventude cristã que se posiciona ao lado do que é certo. Censuram suas atitudes: "Vocês são uns bobos — não fumam, não bebem, não falam palavrão, não usam drogas." A grande verdade é que nossos filhos necessitam de oração especial nesses dias ruins, a fim de resistir à perversidade que os cerca.

Uma jovem amiga sempre se mostrou franca no testemunho e no comportamento cristãos. Os colegas da escola, sem que ela percebesse, punham droga no alimento dela, em pequenas doses. Certo dia, a jovem teve um problema tão grave que foi internada às pressas. Somente o poder da oração a fez voltar a ser uma pessoa normal.

O OCULTISMO

Você é capaz de mencionar o nome de uma revista secular que não tenha a seção de astrologia? Dificilmente. Essas colunas variam muito quanto ao conteúdo (o que deve significar algo para nós), entretanto, há mulheres que vivem totalmente influenciadas por todas as bobagens e mentiras que os "astros dizem".

Participamos de um grupo de turismo em que as pessoas, ao serem apresentadas, em vez de falar o nome, diziam: "Eu sou Escorpião; eu sou Áries; eu sou Peixes", procurando, assim, iniciar novas amizades por intermédio do zodíaco. Devemos ter todo o cuidado de nos desviar da aparência do mal.

A pornografia está presente na TV e em outros meios de comunicação, por isso precisamos ensinar nossos filhos com sabedoria a escolher o que é bom. Devemos evitar toda e qualquer experiência com o mal. Que Deus nos ajude a erguer bandeiras contra o maligno e salvar nossos lares.

"Sei que a bondade e a fidelidade me acompanharão todos os dias da minha vida, e voltarei à casa do Senhor enquanto eu viver" (Salmos 23.6).

DESCOBERTA CONJUNTA

1) Dentre os seus conhecidos, quem você considera uma pessoa "boa"?
2) Temos medo de que as pessoas pensem que somos boas? Por quê?
3) Como a bondade é cultivada? (Efésios 5.9).
4) O que leva você a praticar o mal?
5) Anote alguma área em que você necessita de ajuda pela oração. Pode mencionar isso em seu grupo e, em seguida, poderão orar umas pelas outras. Depois de duas semanas, procure dar testemunho de como Deus a está ajudando em seu problema.

8
A fé
Loide e Eunice — nossa herança piedosa

2Timóteo 1.1-14

Será que você está criando condições em sua casa para surgir um grande ministério? Qual será o efeito duradouro de sua personalidade sobre cada membro de sua família depois que cada um deixar o lar?

Todo dia tem duas alças: uma é a ansiedade, a outra é a fé. Depende de você agarrar uma ou outra. Lembro-me de minha mãe enviando-nos todas as manhãs para a escola com esta oração: "Aplicamos o sangue de Jesus nos umbrais de nossa porta e sobre nossa vida hoje". Vivíamos com fé, sob a proteção diária de Deus.

A FÉ NATURAL

"[...] o fruto do Espírito é [...] fé." Fé é a capacidade de assimilar a Palavra de Deus e crer em suas promessas. Todos nós temos um pouco de fé. Quando você se senta numa cadeira, acredita que ela suportará seu peso. Quando dirige o carro, tem fé que chegará ao destino. Quando compra o alimento e o prepara, tem fé que não há veneno nele. Essa é a fé natural, do dia-a-dia, mas vamos saber como Deus deseja que o fruto da fé seja parte integrante de nossa natureza e do jardim de nossa vida.

A Bíblia diz que sem fé é impossível agradar a Deus. Deus é amor. Mais uma vez, portanto, vemos que as manifestações do fruto do Espírito se inter-relacionam. O fruto começa a surgir com o amor, mas seu crescimento em nossa vida continua pela fé.

VOCÊ NUNCA DIZ "NÃO"

Durante um de nossos períodos de férias, enquanto eu lecionava duas matérias num seminário bíblico e, ao mesmo tempo, me esforçava para concluir o último ano do bacharelado, o pastor pediu-me que começasse uma classe de jovens casais, pois havia muita necessidade nessa área na igreja local. Achei que, com o estudo, a família e a tarefa de lecionar, não teria tempo para outra atividade. Já estava até lavando roupas à meia-noite. Quando conversei à mesa sobre o assunto com minha família, meu filho disse: "Mas mamãe, eu nunca ouvi você dizer 'não' a uma oportunidade".

Ali estava a minha resposta. Ele tinha fé que pela fé eu podia fazer o trabalho, e o Senhor me ajudaria. E ajudou. Sei que há ocasiões em que o "não" é a resposta certa, mas essa ocasião não existia para mim.

QUE DIZ A PALAVRA?

1) "Consequentemente, a fé vem por se ouvir a mensagem, e a mensagem é ouvida mediante a palavra de Cristo" (Romanos 10.17).

    A fé é o produto natural da assimilação da Palavra de Deus e da convicção nas promessas divinas. Pode-se ouvir a Palavra pregada sem proveito, se não se acrescentar fé a ela (Hebreus 4.2).

2) "Assim, permanecem agora estes três: a fé, a esperança e o amor [...]" (1Coríntios 13.13).

    A fé é confiança inabalável. Ela habita em nós; é parte de nós.

3) "Pois nada é impossível para Deus" (Lucas 1.37).

A fé opera no reino do impossível. O que podemos ver, sentir e tocar não necessita de fé. Fé é crer, confiar, é conhecer sem ver.

4) "Sem fé é impossível agradar a Deus" (Hebreus 11.6).

Fé é confiança. É substância. Podemos ter segurança por meio da fé. Fé não é simples opção.

5) "Tudo é possível àquele que crê [...]" (Marcos 9.23).

A fé opera por obediência às leis espirituais. O cristianismo é mais do que filosofia, mais que teologia, mais que polêmica, é ciência. Ciência é um corpo de verdades que se baseiam numa teoria comprovada. Jesus é o fundamento da verdade para a nossa fé. Podemos conhecer a verdade quando depositamos nossa confiança em Jesus. Isso funciona.

6) "Pela fé Abraão, quando chamado, obedeceu [...] peregrinou na terra prometida [...] recebeu poder para gerar um filho, porque considerou fiel aquele que lhe havia feito a promessa" (Hebreus 11.8-11).

Abraão foi um homem de fé. Ele foi chamado, obedeceu, saiu, aguardou, procurou uma cidade e creu sem ver.

7) "Porque vivemos por fé, e não pelo que vemos" (2Coríntios 5.7).

> *Por isso prossigo sem saber,*
> *Não desejaria saber se pudesse.*
> *Prefiro andar na escuridão por fé*
> *A sozinho andar pelo que posso ver.*

Nos dias atuais, quase todas as revistas femininas trazem artigos sobre problemas no lar e no casamento. Esses problemas não são novos. Muitas pessoas têm a ideia de que todos os casamentos mencionados na Bíblia foram perfeitos. Todavia, já vimos a história de Ana, num lar com duas esposas. Sabemos que Timóteo cresceu num lar dividido.

Eunice e Loide, a mãe e a avó de Timóteo, respectivamente, eram judias, mas o pai era gentio. Isso significa que a carga de ensinar e preparar Timóteo recaiu sobre essas duas mulheres. Eunice enfrentou um casamento cheio de problemas — dividido na fé, nos costumes, na cultura e no aspecto religioso. Paulo chama Timóteo de seu filho na fé, o que indica que ele também orientava o rapaz e orava por ele todos os dias.

FÉ NÃO FINGIDA

Paulo diz a Timóteo que o que mais se destacava em sua conduta de rapaz era sua fé não fingida, que fluía da avó, Loide, e da mãe, Eunice.

O que é fé não fingida? É fé autêntica. Sincera. A palavra *sincera* provém do latim. Os mais destacados escultores de mármore, atualmente, são italianos. Do lado de fora das lojas que vendem essas esculturas há uma placa com os dizeres: "*Scultura sin cera*". Significa que não se adicionou cera ao material original. Desse modo, sabe-se que o mármore branco utilizado na fabricação dessas esculturas é de primeira classe.

No tempo de Paulo, o artesão cobria com cera branca as imperfeições do mármore usado em estátuas de segunda categoria. Esse corretivo não podia ser detectado a olho nu.

O que aconteceria com a cera se você pusesse uma estátua dessa em seu jardim e viessem sobre ela a chuva, o sol, o granizo e a neve? Certamente ela se derreteria com o sol e racharia com o frio. Sua estátua seria uma escultura imperfeita. Por isso Paulo usa essa bela palavra, *sincera,* para descrever a fé que havia em Timóteo. "Sua fé não contém cera. Chova ou faça sol, na adversidade ou na alegria, sua fé não vacila."

A fé não é algo que se possa vestir, como um manto que alguém usa para ir à igreja e retira durante a semana. Timóteo, sua fé é como a de sua mãe; é sincera, real, autêntica.

NÃO SERVE PARA A HORA DA MORTE

Pouco tempo antes de deixarmos a Argentina, soube que minha amiga Pilar, cujo marido era diretor do coro no Ginásio Americano de Buenos Aires, estava com câncer. Disseram-me que ela iria a um concerto, e resolvi aproveitar a oportunidade para fazer novo contato com ela. Havia cinco anos eu lhe falara de Jesus, sem nenhum resultado aparente. Ela era professora de filosofia, agnóstica, autossuficiente, e achava que todo o seu futuro estava planejado, organizado e sob controle.

Orei com ela no ginásio depois da apresentação do coral e disse que a visitaria na terça-feira. Quando fui a seu apartamento, abri a porta da frente com a chave que ela me atirou da sacada. Depois de subir a escada, encontrei-a recostada sobre quatro travesseiros, esperando por mim.

— Betty Jane — ela exclamou —, dizer que eu precisava de você foi a coisa mais difícil que já fiz em toda a minha vida. Nunca necessitei de ninguém. Sempre tive pleno controle de minha vida. Essa filosofia serviu para eu viver, mas agora tenho medo. Ela não é suficiente para a hora de minha morte.

Contou-me, então, como havia reconhecido que necessitava encontrar alguém com fé.

— A filosofia serve para viver, mas não nos ajuda a morrer — ela disse. Prosseguiu: — Puxei da memória o rosto de todos os meus amigos: professores, filósofos, historiadores, educadores, administradores, família, políticos e, no final, o rosto que me veio foi o seu. Seu rosto era o único que revelava fé.

Como é importante praticar nossa fé diariamente! Alguém pode necessitar dela. Pilar e eu lemos a Bíblia juntas. Semana após semana eu ia vê-la. Ela me disse:

— Agora entendo que Cristo está batendo à porta de meu coração. Não estou preparada para abrir, mas tenho segurado a manga de sua túnica para impedir que ele se retire.

Pilar, finalmente, recebeu Cristo como seu Salvador e começou a crescer na Palavra. À medida que eu a visitava todas as semanas e orávamos juntas, ela se tornava mais forte. Certo dia, manifestou o desejo de ir à igreja comigo. Foi batizada nas águas durante a semana da Páscoa. Quando eu lhe impus a mão sobre a cabeça, ela começou a falar numa bela e nova língua no Espírito Santo! Sua vida de incredulidade foi completamente transformada.

Exatamente um mês depois que a deixamos, seu marido, Walter, escreveu para contar-nos que ela partira para a glória do Senhor. Disse que, apesar de ter sofrido muito por causa de um erro médico numa punção para drenagem do pulmão, o rosto dela demonstrava a transformação, cheio de luz e beleza. Desse modo, na morte ela testemunhou muito mais a seus amigos incrédulos que quando estava viva.

Walter escreveu: "Agora eu também creio na vida eterna". E ele tem seguido a fé que resplandeceu na vida da esposa!

O mundo está cansado, moribundo e procurando respostas. Temos de viver de forma a demonstrar o fruto da fé em nossa vida. Nossa fé sincera, não fingida, é a resposta às dúvidas e aos temores de um mundo sem esperança.

"VOCÊ CONHECE AS SAGRADAS LETRAS"

Paulo dá graças a Deus por esse jovem cujo encontro com Cristo se tinha dado na juventude. O apóstolo escreve-lhe como pai, para incentivá-lo a crescer na fé. Em 2Timóteo 3.15, Paulo lembra a Timóteo: "Porque desde criança você conhece as Sagradas Letras, que são capazes de torná-lo sábio para a salvação mediante a fé em Cristo Jesus".

Percebemos aqui a importância do estudo da Bíblia em conjunto no lar. Ela é a fonte para todas as decisões e maneira de viver. Na verdade, muitas pessoas estão perdidas porque não têm nenhum modelo para seguir. Faltam-lhes bases e normas morais para a consciência — para decidir o que é certo e o que é errado. Devemos voltar à Bíblia. Colocando-a sobre nossa vida como um instrumento de nivelação, é que saberemos se estamos vivendo de forma direita e reta, ou se estamos fora do prumo.

IMPONHA AS MÃOS SOBRE SEU FILHO

Paulo exorta a despertar "a chama do dom de Deus que está em você mediante a imposição das minhas mãos" (2Timóteo 1.6). Mãe, você tem colocado suas mãos suaves sobre seu filho e orado por ele? É muito importante acompanhá-lo até o altar e colocar o braço ao redor dele, fazendo com que sinta sua proximidade e saiba que você o ama e está transmitindo-lhe a fé que vem de Deus, enquanto ora com ele.

Diz o versículo 7: "Pois Deus não nos deu espírito de covardia, mas de poder, de amor e de equilíbrio". Onde há medo, a fé não pode crescer. Temos de reconhecer que o medo não procede de Deus. Devemos guardar-nos desse sentimento. Para vencê-lo, Deus nos dá poder, amor e domínio próprio. Essa é a essência da fé. Somente movida pela fé você pode dar testemunho, viver com integridade e seguir a vocação e o propósito de Deus para sua vida.

O QUE VOCÊ ENTREGOU NAS MÃOS DE DEUS?

Todo dia minha mãe repetia o versículo 12: "[...] porque sei em quem tenho crido e estou bem certo de que ele é poderoso para guardar o que lhe confiei até aquele dia". Este é o fruto da fé — saber em quem temos crido e saber que ele pode guardar tudo o que temos confiado a ele. A coroação de nossa fé ocorrerá quando contemplarmos Jesus face a face.

Timóteo acompanhava Paulo nas viagens missionárias. Loide e Eunice deixavam-no ir. Elas sabiam que o tinham preparado e ensinado, e orado com ele e por ele. Essa era a oportunidade de Timóteo cumprir o propósito para o qual Deus o havia chamado e ungido.

Lembro-me de acenar adeus para meus pais enquanto eles permaneciam junto ao portão de embarque toda vez que voltávamos à América do Sul como missionários. Lembro-me de quando deixamos no aeroporto de Mineápolis o nosso filho de 17 anos, acenando com a camisa amarela. Parecia um canarinho — tão jovem, puro, vulnerável. No entanto, estava entrando para o seminário bíblico a fim de realizar o plano de Deus para sua vida, e nós tínhamos de voltar ao nosso ministério, conforme

Atos 20.24, para realizar com alegria o trabalho que o Senhor nos havia proposto.

Acenamos com muita coragem e depois colamos o rosto na janela do avião, enquanto as lágrimas nos rolavam pelo rosto. "Mas eu *sei* que tudo quanto tenho confiado a ti, tu guardarás." Esta é a fé maravilhosa pela qual temos vivido, uma confiança constante.

Entregamos tudo ao Senhor. Hoje vemos que tudo funcionou com perfeição. Enquanto escrevo este livro, Rocky e Sherry preparam-se para o trabalho missionário. Tivemos de consagrá-los e segurá-los, sem, contudo, tentar os reter.

TUDO FAZ PARTE DO PACOTE

Mona escreveu-nos do Panamá:

> "Mamãe, estão me convidando para ficar e lecionar nos seminários bíblicos daqui. Eles têm muita necessidade de professores. Sinto-me como se estivesse saltando de um penhasco alto, sem ninguém lá embaixo para me segurar. Tenho de decidir hoje".

Ela havia rompido o contrato para ensinar espanhol no seminário bíblico, desistido do apartamento e também do noivado. Tudo isso fazia parte do mesmo pacote.

Quando nos escreveu, ela não tinha dinheiro nem para comprar os selos da carta. Escrevemos, perguntando-lhe:

— Como você está se mantendo?

— Pela fé, mamãe.

— Mas você não pode comer fé. É necessário que alguém a ajude.

— Mamãe, onde foi que aprendi isso, viver pela fé? Não foi aí em casa?

A essência de seu lar pode instilar fé em meio a todos os problemas. Eu era pequena quando meu pai teve uma crise de vesícula, ficando de cama com dores, calafrios e febre. Mamãe reuniu todos os filhos ao redor do leito, e todos oramos com a fé pura de uma criança. Meu pai, hoje com 84 anos, ainda louva a Deus por aquela ajuda recebida.

Aquilo que você faz fala tão alto
Que não consigo ouvir o que você diz.

Que tipo de fé você serve com a refeição em sua mesa? É fé "sincera", fé sem cera? Nos problemas, na enfermidade, nas decisões e nas provações, a fé sincera consegue sobreviver. Ela é pura e inabalável. Essa é a fé permanente de Deus. É o fruto do Espírito que cresce no jardim de nossa vida.

PONHA O CARTAZ EM SUA COZINHA

Uma mãe de três filhos disse a um missionário que gostaria de participar de um ministério. O evangelista respondeu: "Volte amanhã à noite que eu a ajudarei". No dia seguinte, quando a mulher o procurou, ele lhe deu um cartaz e disse: "Leve isto para sua casa e coloque na cozinha".

Ela olhou para o cartaz e leu: "Neste local, celebram-se cultos sagrados três vezes por dia".

Percebe o significado pleno dessas palavras? Enquanto preparamos as três refeições diárias, lavamos a louça e fazemos o que parece rotineiro, estamos na verdade adorando e celebrando culto! Quando ministramos com fé e amor e fazemos tudo como se fosse para o Senhor, nossa cozinha é um lugar santo.

Devemos permanecer na Videira. Enquanto vivemos na presença de nosso Senhor, continuamos na Palavra e permanecemos em Cristo, a fé direciona toda a nossa vida e a maneira de pensar. Ela sai da cozinha e espalha-se entre as pessoas.

NOSSA HERANÇA PIEDOSA — VOCÊ ESCOLHE

Hoje alegro-me ao constatar quanto cresci quando meus pais permitiram que eu fizesse minhas próprias escolhas. É verdade que às vezes isso tornava a escolha mais difícil. Os jovens acham mais fácil dizer: "Minha igreja é contra isso" ou "Meus pais não permitem"; meu pai, contudo, costumava dizer: "Você sabe o que lhe ensinamos; agora a escolha é sua". Essa atitude é parte importante de nossa herança de fé.

Devemos confiar em nossos filhos. Eles tomarão decisões corretas. E se estiverem enganados, se fizerem más escolhas, devemos ouvi-los, aconselhá-los e amá-los. Se mantivermos vivo o exemplo de fé diante deles, eles se conscientizarão das escolhas erradas. A fé vai ajudá-los a corrigir os enganos.

Ter fé é confiar e obedecer, mesmo sem entender. Certa vez, ouvi o Dr. Robert Spence, reitor de uma faculdade evangélica, dizer:

> "Quando Deus me chamou, não tive de fazer nenhum esforço para obedecer. Eu havia aprendido quando menino a não chorar, nem me queixar, nem sapatear quando meu pai falava. Foi fácil, portanto, obedecer a Deus".

OBEDECER SEM FAZER CARA FEIA

Quando Rocky concluiu o curso secundário, estávamos de partida para a Argentina. Os irmãos da comunidade informaram-nos de que ele tinha sido nomeado "Embaixador de Cristo dos Estados Unidos" em 1970. Pediram que fôssemos à reunião do acampamento em Minnesota, onde anunciariam essa honraria. Devia ser uma surpresa para Rocky.

O dia estava quente, e muitos ministros até haviam tirado o paletó. Nós estávamos na plataforma com o grupo missionário. Notei Rocky no auditório, sem paletó. Percebi seu olhar e fiz um movimento como se estivesse vestindo minha jaqueta. Ele observou, pegou o paletó e vestiu-o discretamente. Nesse mesmo instante o irmão G. Raymond Carlson anunciou: "O Embaixador de Cristo dos Estados Unidos foi presidente de seu time de futebol".

O rosto de Rocky ficou radiante quando Raymond Carlson chamou seu nome. Ele não fechou a cara nem fez que não quando lhe fiz sinal para vestir o paletó. Obedeceu e agora estava pronto para ir à frente receber a honra.

Para o meu coração, isso era o cumprimento da fé — poder confiar e obedecer, sem entender.

EU E A MINHA CASA SERVIREMOS AO SENHOR

O vovô Grams emigrou da Alemanha para os Estados Unidos em 1909. Quando resolveu ler a Bíblia e seguir seus ensinamentos, seus amigos, grandes "apreciadores" de cerveja, o deixaram.

Mas ele escolheu o caminho da fé. Foi pai de 12 filhos. Todos serviram e ainda servem a Deus e pregam o evangelho com a vida. Somando os netos, somos agora cem pessoas que conservam a fé que nos foi confiada.

Não desanimes, aconteça o que acontecer
Deus cuidará de ti.

ENCONTRO COM A VERDADE

1) Como podemos ter certeza de que a fé está crescendo no jardim de nossa vida?
2) Seus filhos podem seguir o seu exemplo?
3) Você é capaz de manter a mesma fé em face de um problema?
4) Você ora com seus filhos?
5) Alguma vez impôs as mãos sobre eles para orar?
6) Está implantando uma defesa de fé na vida deles?
7) Acredita que seus filhos farão escolhas sábias?
8) Sabe como os orientar sem interferir na vida deles?
9) O que tende a afastar você da fé?
10) Qual é o objetivo de sua vida?
11) O que a impulsiona?

12) O que há de mais importante em sua vida?
13) Você gasta mais tempo com outras atividades do que orientando seus filhos?
14) Seus vizinhos sabem que você é cristã? Qual tem sido seu testemunho?
15) Como você enfrenta a vida em tempos difíceis? Qual é sua atitude?
16) De que modo sua fé pode aumentar?

9

A mansidão

Hagar — dificuldade para obedecer

Gênesis 16

— Lá vem você de novo com a palavra *mansidão*. Não quero ser mansa. As pessoas pensam que sou boba — disse minha amiga Pilar.

Ela estava começando a ler a Bíblia comigo. Acompanhava essa nova etapa com o olhar de uma criança inocente, embora fosse, na época, uma professora agnóstica, de formação superior. Certa vez desabafou:

— Quero fazer valer os meus direitos, ter um modo próprio de agir e o reconhecimento de meus valores. Não me posso dar ao luxo de ser mansa. Isso poria a perder tudo o que tenho realizado como mulher. E, ainda por cima, seria pisoteada pelas pessoas.

— Não, Pilar, Jesus nos deu o exemplo — repliquei. — Ele disse:

> "Venham a mim, todos os que estão cansados e sobrecarregados, e eu lhes darei descanso. Tomem sobre vocês o meu jugo e aprendam de mim, pois sou manso e humilde de coração, e vocês encontrarão descanso para as suas almas" (Mateus 11.28,29).

Jesus é o nosso exemplo. Ele diz que suportará o outro lado do jugo. Pilar, você já viu carro de boi em rua arenosa? Como os homens colocam o jugo nos animais?

— Sobre os dois bois.

— O jugo pode ser colocado sobre um boi e uma mula?

— Não, a mula é muito arrogante e manhosa. Eles não são iguais.

— Que tal sobre um burro e um boi? — insisti.

— Não, o asno é teimoso demais e de estatura baixa. Ele não arredaria o pé. Estou começando a entender. Mas não é fácil — respondeu Pilar.

MANSIDÃO NÃO QUER DIZER FRAQUEZA

"[...] o fruto do Espírito é [...] mansidão." Ser manso é ter poder, coragem, dignidade de caráter, é ser forte e ao mesmo tempo humilde. Jesus disse: "Venham a mim [...]. Tomem sobre vocês o meu jugo e aprendam de mim [...]".

Esses verbos ajudam a entender os passos para seguir o caminho de Deus. O Senhor toma nossa teimosia, rebeldia, nosso espírito de oposição e ensina-nos a usar seu jugo. Não se pode dobrar o pescoço sem abaixar a cabeça. Caminhando com Jesus, passo a passo, aprendemos com ele a ser humildes.

Moisés foi altamente preparado nas "universidades" do Egito. Tinha autoridade real e formação em direito e administração. Contudo, preferiu acompanhar os hebreus humildes e ser parte desse povo a tornar-se rei do Egito. A Bíblia diz em Números 12.3: "[...] Moisés era um homem muito paciente, mais do que qualquer outro que havia na terra". O fato é que Joquebede lhe transmitiu paz, graças a sua natureza mansa e humilde.

Moisés subiu ao monte Sinai para conversar com Deus durante 40 dias. Seu rosto transfigurou-se e ficou resplandecente. Quando desceu do monte, "Moisés viu que o povo estava desenfreado [...] e fora de controle [...]" (Êxodo 32.25). O que estaria acontecendo? Então viu o grande bezerro de ouro, Ápis, o famoso deus do Egito. Todo o povo dançava e se divertia. Sem perder tempo, o piedoso Moisés "pegou o bezerro que eles tinham feito e o destruiu no fogo; depois de moê-lo até virar pó, espalhou-o na água e fez com que os israelitas a bebessem" (v. 20). Era manso, mas cheio de força e autoridade.

Arão disse a Moisés:

> "[...] tu bem sabes como esse povo é propenso para o mal. Eles me disseram: 'Faça para nós deuses que nos conduzam [...]'. Então eu lhes disse: Quem tiver enfeites de ouro, traga-os para mim. O povo trouxe-me o ouro, eu o joguei no fogo e surgiu esse bezerro!" (v. 22-24).

Quando Arão e Miriã criticaram Moisés pela escolha da esposa etíope, com isso provocando discórdia entre os três milhões de hebreus, as chagas da lepra começaram a aparecer no corpo de Miriã. Em vez de dizer: "Bem, você procurou tudo isso. Aguente! E que isso lhe sirva de lição", Moisés "[...] clamou ao Senhor: 'Ó Deus, por misericórdia, concede-lhe cura!' " (Números 12.13).

Em seguida, disse: "[...] fique isolada fora do acampamento sete dias; depois será trazida de volta [...] e o povo não partiu enquanto ela não foi trazida de volta" (v. 14,15).

Vamos ler de novo 1Coríntios 13 e relacionar algumas expressões que descrevem o amor:

- não insiste em fazer a própria vontade;
- não busca vantagem egoísta;
- não é ansioso para causar impressão;
- não tem ressentimentos;
- não tem ideias soberbas a respeito de si mesmo;
- não se envaidece;
- não se alegra com o infortúnio alheio;
- não retruca;
- prefere dar honra ao outro.

Na realidade, o amor é semelhante ao fruto da mansidão, não é mesmo? A mansidão é altruísta, não fura a fila de supermercados, não dá cotoveladas nos outros para afastá-los do caminho, dá preferência ao próximo e aceita sem queixa o que lhe foi deixado. A mansidão é parente próxima do amor!

COMO PERDOAR?

Corrie ten Boom, uma jovem holandesa que ficou muitos anos no campo de concentração nazista, conta que, depois de sua libertação na Alemanha, falou em diferentes igrejas a respeito do perdão.

Certa noite, numa dessas palestras, ao correr os olhos pelo auditório, reconheceu o rosto de um dos guardas nazistas que haviam participado do espancamento que causou a morte de sua irmã Betsie. Pensou: "Como posso perdoar a esse homem?".

No encerramento da reunião, o ex-guarda dirigiu-se a ela.

— Minha senhora, eu gostaria de lhe pedir perdão por tudo o que fizemos de errado. A senhora agora é minha irmã em Jesus.

Ele lhe estendeu a mão, mas Corrie enfiou a dela na bolsa, fingindo procurar algo. Não se sentia capaz de apertar a mão do homem. Então ouviu uma voz:

> "Perdoa as nossas dívidas, assim como perdoamos aos nossos devedores [...] Pois se perdoarem as ofensas uns dos outros, o Pai celestial também lhes perdoará. Mas se não perdoarem uns aos outros, o Pai celestial não lhes perdoará as ofensas" (Mateus 6:13,15).

Corrie retirou a mão da bolsa e apertou a mão que lhe foi estendida. A alegria do perdão os uniu pelo Espírito naquele momento. O guarda nazista e a cristã holandesa uniram-se pelo perdão. É no sofrimento que aprendemos a ser mansos.

TESOURA DE PODAR

Para que o fruto da mansidão se desenvolva, temos de usar a tesoura de podar (mostradas ao grupo no primeiro estudo). É preciso podar algumas maneiras e atitudes que talvez tenham crescido em nosso jardim. Isso vai doer. É uma cirurgia.

1) Exemplos de mansidão:
   a) Moisés era paciente (manso) (Números 12.3).
   b) Jesus era manso (Mateus 11.28-30).
2) Retrato da mansidão:
   Força em todo o nosso caráter (Tito 2.3-10).
3) A mansidão manifesta-se na Palavra:
   a) Nossa atitude perante Deus.
   "[...] busque a justiça, a piedade, a fé, o amor, a perseverança e a mansidão" (1Timóteo 6.11).
   b) Restaurar os que estão caídos.
   "[...] vocês, que são espirituais, deverão restaurá-lo com mansidão" (Gálatas 6.1). Ouça seus problemas.
   c) Receber com mansidão a Palavra de Deus (Tiago 1.21).
   d) Como devemos testificar? (1Pedro 3.15).
   e) Qual deve ser a base de nossa beleza? (1Pedro 3.4).
   f) Como realizar o trabalho pastoral? (2Timóteo 2.24,25).
   g) Como devemos andar? (Efésios 4.1-3).
   h) Como perdoar? (Efésios 4.26,32).

i) Como nos humilhar a nós mesmas? (Marcos 11.25).

A mansidão é o espírito de paciência atuando em nosso caráter para nos tornar amáveis, bondosas, amorosas e flexíveis. No estudo sobre a "amabilidade", vimos o cântico do Pastor em Isaías 42. Convém lembrar que a amabilidade e a mansidão caminham lado a lado.

NÃO DIGA "BONS VENTOS O LEVEM"

Edgar, um jovem muito talentoso em nossa igreja, era professor da escola bíblica e presidente do departamento de jovens; no entanto, sempre chegava meia hora atrasado para dirigir a classe, esquecia-se de trazer o material e tinha atitudes arrogantes. Ameaçava constantemente abandonar o trabalho da igreja. Certo dia, avisou que havia recebido uma bolsa de estudos na Rússia e por isso ia deixar suas atividades.

Teria sido fácil ao pastor dizer: "Ótimo, bons ventos o levem", mas, nesse momento, Deus concedeu uma porção especial de mansidão ao pastor, o meu marido alemão. Ele disse: "Oremos a esse respeito aqui na sala de aula". Essa tranquila demonstração de mansidão tocou fundo o coração de Edgar, e ele chorou como criança. Nesse momento, aquele rapaz permitiu que a mansidão começasse a crescer em sua vida. Desistiu de abandonar a igreja, tornando-se um cristão comprometido.

VIVER DE FORMA DIGNA

Efésios 4.1-3 diz que devemos ser humildes, mansas e pacientes, e viver de maneira digna de nossa vocação. Que vocação é essa? Um chamado para sermos rainhas, sacerdotisas, ministras da realeza — uma nação santa diante de Deus. Abandone, portanto, qualquer atitude de ressentimento. Não devemos retrucar. Meu pai costumava dizer: "Se vivermos retamente, nossa vida denunciará qualquer pessoa que levante falso testemunho contra nós".

CULPA SUA

"Quando vocês ficarem irados, não pequem." O conselho de Efésios 4.26 é muito importante para o desenvolvimento da mansidão em nós. Temos de aprender a pedir que nos perdoem.

Muitas pessoas permitem que a tensão no lar destrua o casamento. Em 1975, houve mais de um milhão de divórcios nos Estados Unidos. Uma das divorciadas foi Ann Landers! Muitos devem ter tido a oportunidade de ler sua coluna de conselhos matrimoniais. Mas, em 1975, seu casamento de 36 anos se desfez. Saber aconselhar não é suficiente.

Uma das decisões que Monnie e eu tomamos antes de nos casar foi que nunca usaríamos a expressão "culpa sua" em nosso lar. Temos visto muitos casamentos aparentemente sólidos desintegrarem-se por falta de mansidão. A Bíblia fala de submissão ao marido por parte da mulher, mas também diz que ele deve amar, tratar com carinho e proteger a esposa.

Há muitas situações que exigem mansidão na vida matrimonial. Você já ouviu alguma das afirmações a seguir?

"Você nunca está por perto quando nossos filhos necessitam de você."

"Você gosta de me dominar."

"Sua interferência me irrita."

"Detesto vir para casa. Não tenho um momento de paz."

"Não acho que você seja justo; eu tenho de fazer tudo."

"Por que você não para de me censurar? Você me cansa."

"Você nunca faz ..."

VOCÊ NUNCA... NUNCA...

"Você nunca guarda suas roupas."

"Você nunca tampa o tubo de pasta de dente."

"Você nunca apaga as luzes."

"Você nunca esvazia os bolsos das roupas para lavar."

"Você nunca... nunca... nunca..."

Preferir dar honra um ao outro.

Ouvi de um marido que, depois de uma discussão acirrada com a esposa, ele pôs uma tábua no meio da cama de casal para separá-los. Todas as noites eles dormiam como santos, guardando, porém, amargura no coração.

Certa noite, no culto, eles ouviram uma mensagem sobre o perdão. Foram tocados pelas palavras do pregador e sentiram-se impelidos a reconciliar-se e recomeçar vida nova. Quando, porém, foram deitar-se naquela noite, a esposa chegou um pouco mais perto do marido, pensando dessa forma retomar o contato entre os dois, mas ele disse: — Você empurrou a tábua.

— Não, não empurrei — respondeu a mulher.

— Empurrou, sim. Ela caiu em cima de mim... e você fez isso de propósito.

E a ferida abriu-se de novo. Demorou muito tempo para cicatrizar, pois a mansidão não fazia parte daquele relacionamento.

Esse episódio parece ridículo, mas trata-se de um caso real. A lição que tiramos dele é: não deixe que o sol se ponha sobre a sua ira. Essa é uma boa prática. Ser submissa. Ceder. Curvar a cabeça; pedir perdão. Você vai ver como isso resolverá situações difíceis. Para haver uma briga, é necessário no mínimo duas pessoas dispostas a brigar.

DEMONSTRAR ABORRECIMENTO

Meu pai era uma pessoa terna, afável. Tínhamos um lar feliz, cheio de paz. No entanto, ele contava que meus avós costumavam brigar. Culpavam um ao outro pelos problemas, comiam juntos à mesa e dormiam na mesma cama, mas às vezes ficavam sem se falar durante semanas. Mantinham constante discórdia silenciosa.

Temos de aprender a ser mansas sem nos calar. Devemos manter os canais de comunicação abertos e discutir os problemas com mansidão.

MANSIDÃO — GELEIA CASEIRA

Talvez a mansidão seja o fruto do Espírito mais necessário ao lar. Um pai voltou para casa certa noite e viu que a grama não tinha sido aparada e que o cachorro havia feito um grande buraco na cerca. O cão ainda não tinha sido alimentado, e sua vasilha de água estava vazia. O pai tirou o cinto e surrou o primeiro filho que encontrou.

— Mas, papai, não era o meu dia de cuidar do cachorro, esta era a semana do Bob — disse o filho aos soluços.

Qual deveria ser a atitude desse pai? Pedir perdão imediatamente? Colossenses 3.21 diz: "Pais, não irritem seus filhos, para que eles não desanimem". É necessário pedir perdão. David Wilkerson, no livro *Parents on Trial* [Pais no banco dos réus], mostra quanto a mansidão é fundamental no relacionamento entre pais e filhos.

Depois que eu castigava Raquel, entrava em seu quarto, abraçava-a e dizia: "Agora vamos orar juntas sobre o que aconteceu". Ensinamos mansidão sendo submissas e bondosas.

PEDIR PERDÃO CUSTA

— Não, ainda não estou preparada para ser batizada — disse Isidora, frequentadora assídua dos cultos.

— Mas você frequentou quatro vezes o curso de doutrina para os novos convertidos, além disso, aceitou Jesus há vários anos — eu disse.

— Sim, é verdade, mas não estou preparada. E baixou os olhos.

Constatei sua ausência em diversas reuniões de mulheres, às quais ela costumava frequentar com fidelidade. Dois meses depois, porém, ela voltou com o rosto resplandecente.

— Quando vai ser o próximo culto de batismo? — perguntou.

E, em seguida, contou-me sua história.

Quando estava com 18 anos, um espanhol, proprietário de terras em sua aldeia, enganou-a e abusou dela. Seu pai ficou furioso. Passou a tratá-la tão mal que ela não aguentou e fugiu de casa, indo viver na cidade grande. Ela teve dois filhos desse espanhol e passou a criá-los sozinha, trabalhando arduamente para sustentá-los. Não voltou mais à casa dos pais nem sequer sabia se eles ainda estavam vivos.

Depois de salva, porém, resolveu deixar a cidade grande num caminhão carregado de madeira e farinha, rumo a sua antiga casa. (Foi o período que sentimos sua falta.) Viajou por estradas sinuosas, subindo as montanhas andinas cobertas de neve. Demorou três dias para chegar a sua aldeia. Lá encontrou os pais, falou-lhes de Jesus, pediu-lhes perdão e, assim, conseguiu arrancar as raízes de amargura que vicejavam em seu coração por mais de 25 anos. Agora ela estava de volta e pronta para ser batizada.

ABUSARAM DE MIM

Hagar estava fugindo. Ela não podia suportar nem mais um dia ao lado de Sara. Durante dez anos, tinha servido fielmente a sua senhora, desde que deixara a terra natal no Egito. Hagar era alta, graciosa e bela. Tinha a pele morena. Certamente o faraó a dera de presente a Sara quando o casal partiu do país das pirâmides.

Agora Hagar carregava no ventre o filho de Abraão, por incentivo de sua senhora. A esposa do patriarca desejava que ele tivesse um filho, conforme a promessa do anjo. Se sua serva gerasse esse filho, Sara poderia considerá-lo seu.

Contudo, ao perceber que estava grávida, Hagar tornou-se desobediente e arrogante. Olhava para a sua senhora com desprezo. Surgiu entre as duas mulheres ciúme e aversão.

Sara exigia mais trabalho, e Hagar mostrava-se morosa e petulante. Por fim, Sara, já não podendo aguentar mais a situação, humilhou-a.

Hagar tirou o avental de escrava e partiu. Mas para onde iria? Antes, costumava sempre andar um pouco pelo deserto; mas, agora, a noite parecia-lhe mais escura que das outras vezes. As estrelas teriam desaparecido? Sentiu a areia nos dentes. Os rumores da noite assustavam-na.

PERDIDA[1]

Estava perdida. Devia ter andado em círculos. Sentia-se muito cansada. O corpo, pesado com a gravidez, causava-lhe muito desconforto. Deveria desistir? Poderia suicidar-se. Dez anos afastada de seu povo, e agora estava perdida, cansada, com fome e desanimada. Deu um passo

---

[1] Adaptado de Gênesis 16. [N. do E.]

em falso e caiu de bruços no deserto. Não podia ir mais longe.

"PARA ONDE VAI?"[2]

— Hagar, serva de Sarai, de onde você vem? Para onde vai?

Quem conheceria a serva de Sara naquela região deserta? Quem saberia seu nome ou sua posição de serva? Ela não sabia que quem lhe falava era o Anjo do Senhor.

Observem a precisão das perguntas de Deus. O Senhor sempre nos dá a oportunidade de explicar.

— Onde está você? — perguntou Deus a Adão.

— Estou aqui na minha alfaiataria, fazendo uma roupa de folha de figueira para mim.

— Onde está seu irmão Abel? — o Senhor perguntou a Caim.

— Hagar, serva de Sarai, de onde você vem? Para onde vai?

Ela poderia ter mentido. Poderia ter fugido da pergunta, mas disse a verdade:

— Estou fugindo de Sarai, a minha senhora.

— Para onde vai?

— Não sei.

---

[2] Adaptado de Gênesis. [N. do E.]

Quantos têm de responder hoje: "Estou fugindo."? Não é possível esconder-se de Deus; ele tem os olhos amorosos fixos em nós. Levamos conosco nosso pior inimigo quando fugimos.

— Volte à sua senhora e sujeite-se a ela.[3]

E o Anjo do Senhor ordenou a Hagar que fizesse tudo o que Sara lhe ordenasse. Disse que Hagar teria um filho, cujo nome seria Ismael, que significa "Deus ouve".

O eterno e onipotente Deus de todo o Universo sabia tudo a respeito de Hagar. Chamou-a pelo nome. Conhecia sua necessidade. Sabia de sua rebeldia. Ele a encontrou quando ela estava perdida e disse: "Volte à sua senhora e sujeite-se a ela".

Hagar considerou a questão — aquelas palavras eram muito importantes. Era melhor obedecer.

(Toc, toc, toc...)

— Quem é?

— Voltei, minha senhora. Obedecerei. Perdoe-me. Receba-me, por favor. Dê-me outra oportunidade. Eu a servirei.

Hagar chamou o poço onde o anjo a encontrou "Beer-Laai-Roi", pois disse: "Tu és o Deus que me vê".

---

[3] O diálogo baseia-se em Gênesis 3.9; 4.9; 16.1-15. [N. do R.]

Você caiu ao lado do poço? Sente-se desanimada? É difícil humilhar-se e submeter-se? Há coisas demais para endireitar? Deus a está *vendo*! Ele sabe seu nome. Conhece sua necessidade, sua rebeldia, a situação toda. Não tenha medo de se humilhar com mansidão. Ele virá a você, falará com você e trará cura e restauração.

Deve ter custado muito a Hagar submeter-se ao Espírito de mansidão.

> *Perdida estou se de mim tirares tua mão,*
> *Cega estou, ó Senhor, ajuda-me a ver;*
> *Por todo o sempre tua serva quero ser*
> *Guia-me, ó Senhor, guia-me;*
> *Guia-me, ao longo do caminho do viver.*

SEGUINDO OS PASSOS DE JESUS

1) De que modo cumprimos a lei de mansidão no local onde trabalhamos?
2) Se formos mansas, abusarão de nós?
3) O que Jesus pretendia quando disse: "[...] sou manso e humilde de coração"?
4) Como demonstrar mansidão no lar?
5) Você é obstinada?
6) Exige que as coisas sejam feitas do seu modo?
7) Demonstra aborrecimento?

8) Hebreus 12.15 refere-se à raiz de amargura. Quem poderia ser atingido por sua amargura?

9) O que devemos fazer quando ofendemos um filho?

10) Você já observou a expressão do rosto de alguém que foi ofendido?

11) O que significa "alguma coisa contra alguém" em Marcos 11.25?

12) Você sabe contornar emergências ou mudança de planos como mulher cheia de graça?

10

O domínio próprio

Rute — a chance de escolher e o autocontrole nas decisões

Rute

O crescimento do fruto do Espírito em nossa vida baseia-se numa série de fatores. Não podemos simplesmente dizer: "Vou cultivar um jardim de alegria ou um bosque de bondade".

Quando a vida no Espírito se inicia, verificamos que o fruto é como um cacho de uvas; cada pequeno fruto é perfeito, mas todos pertencem ao mesmo cacho.

Assim, quando o amor começa a crescer, a paz, a alegria e a bondade desenvolvem-se também. Paralelamente a esses valores, cresce a temperança, ou domínio próprio, a última das nove manifestações do fruto.

O crescimento no Espírito depende de vontade própria e de prepararmos o ambiente de crescimento em nossa vida; contudo, nenhuma soma de esforços nos ajudará a desenvolver esses nove frutos se não vivermos pelo Espírito, pois eles são o "fruto do Espírito".

PLÁSTICO

Visitei uma casa cuja família tinha muitos objetos de decoração — flores, uma fonte, árvores. Nosso filho de cinco anos ficou impressionado. Ele se aproximou das flores, examinou, tocou-as e disse: "São apenas plástico, mamãe". Vivemos na era do plástico. Que o fruto de nosso jardim, porém, seja real, pois só assim poderá reproduzir-se.

MAIS DO QUE BEBIDA

"O fruto do Espírito é domínio próprio." Geralmente, pensamos em domínio próprio ou temperança em relação ao álcool. E é verdade que muitas mulheres ainda não salvas bebem nas horas de solidão. Elas necessitam de ajuda. Muito se tem escrito acerca do alcoolismo entre as mulheres. Quanto a esse assunto, temos de ensinar a nossos filhos que "aquele que não toma a primeira taça jamais ocupará o túmulo de um ébrio". Esse é apenas um aspecto da vida, mas diante do qual necessitamos de domínio próprio.

A palavra temperança, para nós, adquire muitos outros significados. Um deles é "autocontrole", ou seja, força interior para controlar impulsos, governar desejos, atitudes e paixões. Para sermos nós mesmas, precisamos controlar nossas decisões.

Desde a infância, conheço o seguinte verso:

> *Porque tenho de viver comigo mesma,*
> *Desejo estar em condições de conhecer-me.*
> *Desejo poder, à medida que os dias passam,*
> *Levantar-me e a mim mesma olhar de frente.*

Podemos ter autocontrole? Ou existe alguma área de nossa vida que não podemos governar?

Diz 1Coríntios 6.12: " 'Tudo me é permitido', mas nem tudo convém. 'Tudo me é permitido', mas eu não deixarei que nada me domine".

A moderação inclui o controle sobre os apetites físicos, mentais e espirituais. Ela exige autocontrole no uso do tempo, na maneira de vestir e de falar. Podemos chegar a extremos nas brincadeiras, na ira, na zombaria, nas diversões "sadias" ou na crítica. A moderação — ou o equilíbrio — faz-se necessária nos hábitos alimentares, nas atitudes, no lazer e nos desejos sexuais.

Gosto da ideia, apresentada em 2Timóteo 1.7, de que Deus nos deu espírito de equilíbrio. Essa é uma excelente dádiva. Com equilíbrio, ou moderação, podemos fazer as escolhas certas e controlar os pensamentos e impulsos. Deveríamos dar graças a Deus todos os dias por nossa estabilidade mental e emocional.

A liberdade de tomar decisões é privilégio do cristão, o que lhe desenvolve o caráter. Xantipa, mulher de Sócrates, era geniosa e tinha temperamento dominador. Alguém perguntou ao filósofo por que ele não ensinava a esposa. Sócrates respondeu: "Meu objetivo na vida é me dar bem com as pessoas. Escolhi Xantipa porque sabia que, se conseguisse viver bem com ela, poderia viver bem com qualquer pessoa".

O filósofo escolheu um desafio para si mesmo. E que desafio, pois não é fácil viver com uma mulher geniosa. Nossa tendência, porém, é evitar as pessoas com quem temos dificuldade de conviver. É mais fácil gostar dos que se parecem conosco. Se outra mulher faz as coisas de modo diferente do nosso, nós a achamos esquisita.

No capítulo 2 de Tito há um estudo sobre a bondade. Estude-o e veja como ele também é aplicável ao autocontrole.

SEU TEMPO

"O tempo é a matéria de que a vida é feita", disse Benjamim Franklin. Como você conta o tempo? Necessitamos de esforço consciente para usá-lo com sabedoria e não o desperdiçar. Mantenha um lápis ao lado de sua Bíblia e anote o que Deus lhe falar por meio da Palavra. Leia bons livros e encha a vida com ideias edificantes. Aprenda alguma atividade manual, cultivar flores ou tocar piano. Desenvolva novas habilidades.

Devemos controlar o nosso dia. Costumo relacionar as tarefas que tenho de cumprir, cada dia, mas às vezes a noite chega e minha lista ainda está cheia. Isso acontece com você? Com frequência nós nos ocupamos de coisas menos importantes.

Precisamos também controlar o tempo que gastamos no telefone. Mantenha por perto seus apetrechos de costura. Conserte as barras das bermudas, pregue aqueles botões que caíram.

Conserve em ordem as roupas da família. Torne produtivos os momentos que você, normalmente, perde andando de automóvel, conversando pelo telefone ou vendo televisão.

E lembre-se de que a televisão tem um botão para desligar. Há programas hoje que não valem o tempo gasto com eles. Há outros que nem deveriam entrar em nosso lar. Os programas vulgares, grosseiros, que fazem rir das coisas sagradas, ou brincam com o que deve ser respeitado não são indignos de nossa atenção. Devemos exercer autocontrole, acionando o botão de desligar.

ADAPTAÇÃO

Lemos em Filipenses 4.11: "[...] aprendi a adaptar-me a toda e qualquer circunstância". Ninguém nasce contente. Assim que o bebê acaba de nascer, mexe a cabecinha, faz movimentos de sucção com a boca e agarra com as mãozinhas. Todos nascemos com o instinto de conquistar algo.

Devemos, porém, aprender a contentar-nos com o pouco ou com o muito, saciadas ou famintas. Muitas mulheres censuram, queixam-se, resmungam e inquietam-se. Nossa família aprendeu a contentar-se com ruas de cascalho, cabanas e "água corrente", mesmo quando tínhamos de correr para buscá-la! Nossas mãos rachavam, mas o contentamento fazia a diferença.

SEJA INTELIGENTE NO USO DO DINHEIRO

A boa administração é característica de quem tem domínio próprio. Aprenda a fazer compras nas liquidações, em vez de queixar-se de que o dinheiro é insuficiente. Compre calçados de verão no fim da estação, e de inverno na primavera, guardando-os para o inverno seguinte. Faça o seu orçamento render adquirindo o que necessita nas promoções especiais. Procure sempre as boas marcas. Geralmente, elas duram mais. Você pode vestir-se bem e ainda reservar um dinheiro extra para ofertar. Compro camisas na liquidação de estoque depois do Natal e percebo que Deus me guia nesse modo prático de administrar com sabedoria.

NÃO DESPERDICE

Se você tem sobra de pão, torre-o no forno, acrescentando algum tempero; faça em casa o complemento para a salada. Tenho observado que algumas mulheres jogam fora todas as sobras de pão e depois compram pacotes de torrada!

Ensine seus filhos a fazer bom uso do dinheiro. Eles também podem aprender a aparar a grama, levar o lixo para fora, varrer a garagem, lavar o carro, ajudar a lavar a louça, desligar a luz, porque os filhos são parte da família. Pequenas tarefas podem, do mesmo modo, estar vinculadas à mesada deles. Diz Provérbios 10.22: "A bênção do Senhor traz riqueza, e não inclui dor alguma".

Reserve tempo para rir e mantenha o senso de humor em seu lar. O coração leve e o riso frequente ajudam a vencer muitos problemas. Lembra-nos 1Timóteo 6.6: "De fato, a piedade com contentamento é grande fonte de lucro".

CONTROLE SUA LÍNGUA

1) Quem pode domar a língua? Ela acende uma grande fogueira. Não fale tudo o que lhe vem à mente. Aprenda a calar-se (cf. Tiago 3.2-11).

2) "Melhor é o homem paciente do que o guerreiro, mais vale controlar o seu espírito do que conquistar uma cidade" (Provérbios 16.32). Domine-se.

3) "Melhor é um pedaço de pão seco com paz e tranquilidade do que uma casa onde há banquetes, e muitas brigas" (Provérbios 17.1).

4) "É melhor ter verduras na refeição onde há amor do que um boi gordo acompanhado de ódio" (Provérbios 15.17).

5) "A resposta calma desvia a fúria, mas a palavra ríspida desperta a ira [...]. O falar amável é árvore de vida [...]" (Provérbios 15.1,4).

6) "O coração do sábio ensina a sua boca, e os seus lábios promovem a instrução. As palavras agradáveis são como um favo de mel, são doces para a alma e trazem cura para os ossos" (Provérbios 16.23,24).

Muita gente se interessa pelos alimentos naturais e saudáveis: castanhas, grãos especiais, arroz integral, açúcar mascavo etc. A Palavra de Deus, porém, afirma que o melhor alimento para a saúde é vigiar nossas palavras e nossos pensamentos.

> *Viver lá em cima com os santos que amamos*
> *Isso será a glória.*
> *Mas viver cá embaixo com os santos que conhecemos...*
> *Isso é outra história!*

BANQUETA DE TRÊS PERNAS

O casamento é como uma banqueta de três pernas. Envolve nossa natureza espiritual, emocional e sexual. Para que a banqueta fique em pé, as três pernas devem estar em equilíbrio.

A primeira instituição criada por Deus foi a família. Para criar a mulher, ele tomou um osso próximo do coração de Adão, debaixo de seu braço — para que Eva fosse amada e acariciada; para que fosse protegida e se sentisse sua igual. Não do pé — para que Eva não fosse pisada por ele; nem da cabeça — para que ela não tentasse dominar e subjugar o homem. O plano de Deus é bom.

Temos uma natureza sexual que deve ser satisfeita no casamento. O sexo não deve ser objeto de piadas nem deve ser aprendido em ambientes sórdidos, mas mediante amor franco e participativo, que complete toda a nossa natureza. Devemos adotar um método saudável com relação ao sexo. Como mães, somos responsáveis pelo ensino da pureza do sexo em nosso lar.

Como mulheres cheias de graça, devemos cuidar de nosso modo de vestir, de nossos movimentos e de nosso modo de sentar. Devemos ser discretas em todos os aspectos de nossa conduta, sem provocar tentação na mente dos homens através do olhar. Também temos a responsabilidade de ensinar a nossas filhas tudo o que se relacione com o decoro pessoal.

LUTA PARA MANTER A LINHA

Uma palavra apenas sobre o domínio próprio à mesa. Acho que as mulheres de nossa igreja são conhecidas como as melhores cozinheiras do mundo. Temos viajado por muitos lugares. Tenho amigas suecas que fazem deliciosos biscoitos de chocolate recheados com nozes, cerejas e chantilly. Tudo isso apetece. Mas, como o nosso corpo é o templo do Senhor, temos de ser moderadas no comer.

O que dizer de alguém que, tendo uma vesícula problemática, come amendoim, sardinha, pizza e pimenta? Ela come essas coisas e depois diz: "Ore por mim, pastor". Essa pessoa está tentando o Senhor. Esse é um dos aspectos fundamentais a ser usado para medir nosso autocontrole. Devemos controlar tanto o que comemos quanto o que bebemos.

ESCOLHO VOCÊ E O SEU DEUS

A história de Rute começa num país estrangeiro. Noemi e Elimeleque tinham-se mudado para Moabe por causa da grande fome. Começaram um novo lar na terra dos moabitas. Os filhos de Noemi casaram-se com moças de Moabe e ali viveram durante dez anos. Então, Noemi sofreu um grande golpe: ficou viúva; em seguida, os dois filhos morreram. A vida ficou difícil para as três viúvas.

Quando viram que sofreriam privações cada vez maiores, Noemi "[...] decidiu voltar com suas duas noras para a sua terra" (Rute 1.6).

As noras permaneceram a seu lado, Noemi, porém, incentivou-as a deixá-la e voltar para o meio de seu povo. Que fariam juntas três viúvas? Orfa despediu-se de Noemi e decidiu voltar para sua religião, seus costumes e seu povo. A partir daí, a Bíblia não menciona mais nada a seu respeito.

Rute, porém, disse: "Não insistas comigo que te deixe e que não mais te acompanhe. Aonde fores irei [...]. O teu povo será o meu povo e o teu Deus será o meu Deus!" (v. 16). O que Rute viu na sogra para tomar essa decisão?

NÃO ERA PREGUIÇOSA[1]

Chegando ao país de Noemi, Rute tomou para si a tarefa de arranjar sustento para ela e a sogra. Logo de manhãzinha, ia aos campos recolhendo o que sobrava das colheitas. Ela não tinha medo do trabalho pesado. As pessoas notavam que ela permanecia ali desde cedo até tarde, sem descansar. Quando entrava em casa, à noite, esvaziava o avental e dizia: "Veja, Noemi, quase um barril cheio de grãos hoje!". (Se quiser ilustrar essa história, pegue um avental para indicar trabalho, e um xale preto para indicar que se trata de viúva.)

Você também gosta de trabalhar ou gosta mesmo é de ficar perto do relógio de ponto, esperando, ansiosa, pelo sinal para marcar o cartão e ir embora? Você serve às pessoas com generosidade? Rebeca é outra mulher da Bíblia que sabia trabalhar. Esse fato fez dela a esposa de Isaque.

[1] Este e o próximo item foram adaptados de Rute.

GUIA NOSSOS PASSOS

Noemi perguntou a Rute:

— Onde você colheu hoje?

E Rute responde à sogra:

— O nome do homem com quem trabalhei hoje é Boaz.

— Ah! — disse Noemi — Isso é maravilhoso, porque ele é nosso parente. Deus está guiando nossos passos. Lembra-se de que oramos e confiamos o nosso caminho e o nosso dia aos cuidados do Senhor? É possível que Boaz resgate o título de propriedade de nossa terra. Então teremos recursos com que viver. Seja o que for que ele ordene, obedeça.

Rute respondeu com sabedoria:

— Sou estranha aqui. O que a senhora me ordenar, eu farei. Preciso de sua ajuda.

Noemi disse a Rute que descesse à eira e se deitasse aos pés de Boaz.

Quando Boaz a viu, entendeu que poderia resgatar o título de propriedade e casar-se com Rute. Não tocou nela e disse que a ajudaria. Boaz chamou um parente próximo, o resgatador, na presença de dez líderes da cidade e disse:

— No dia em que você adquirir as terras de Noemi e da moabita Rute, estará adquirindo também a viúva do falecido.

Diante disso, o resgatador respondeu:

— Nesse caso não a poderei resgatar, pois poria em risco a minha propriedade. Adquira-a você mesmo! — e tirou a sandália.

Os líderes e o povo presente foram testemunhas de que Boaz estava adquirindo de Noemi toda a propriedade de Elimeleque e o direito de ter como mulher a moabita Rute, viúva de Malom.

Boaz viu a bondade de Rute para com a sogra, sua disposição para o trabalho, a lealdade e a integridade de caráter. Aceitou-a pelo valor que ela representava.[2]

A RECOMPENSA DE DEUS

Noemi dissera a Rute: "Agora espere, minha filha, até saber o que acontecerá" (Rute 3.18). Às vezes, isso é difícil. Em geral queremos que tudo aconteça rapidamente. Desejamos ver o que está à frente. Rute, porém, tinha autocontrole. Deus honrou esse fato. Rute e Boaz tiveram um menino. Deram-lhe o nome de Obede, que significa "servir". O filho deles veio a ser o avô do rei Davi, o que fez de Rute, uma ex-pagã, a bisavó do grande salmista.

[2] O diálogo baseia-se em Rute 2—4. [N. do R.]

Em Salmos 46.10 lemos: "Saibam que eu sou Deus! Serei exaltado entre as nações, serei exaltado na terra". Gosto da promessa de Salmos 90.15-17, de que Deus fará prosperar o trabalho de nossas mãos e o confirmará; todavia, para isso, devemos aprender a aquietar nossa natureza, acalmar nosso coração e ser pacientes. Deus resolverá tudo em seu devido tempo.

Quando decidiu acompanhar Noemi, Rute não imaginava a vitória que alcançaria. Elas eram tão-somente duas viúvas solitárias caminhando uma ao lado da outra. Mas Rute fez a melhor escolha, e Deus recompensou-a.

Crescer em autocontrole é crescer em Cristo. Esse crescimento não é remoto e irreal, expresso em termos celestiais ou em frases feitas. Exercer o autocontrole mediante a ajuda do Espírito Santo a cada dia é viver uma vida cristã sincera e prática.

Somos povo celestial, mas, por enquanto, vivemos aqui na Terra. Temos de trazer o céu para o nosso lar, o escritório e a escola, orando: "Que Jesus brilhe em nós".

Minha oração, querida leitora, é que você seja uma mulher cheia de graça. E sua vida exale o doce perfume de um jardim cheio do fruto que traz bênçãos ao lar, à igreja, à comunidade e ao mundo: o fruto do Espírito.

CONTENTAMENTO

A vida é apenas um intervalo no contar dos anos,
Carregado de temores mil,
Risos, lágrimas e desenganos.
No meio de tudo isso nosso Deus está
Esperando para nos abençoar.
Mesmo no deserto, prossigo feliz a caminhar.

Esta obra foi composta em *AGaramond* e
impressa por Imprensa da Fé sobre papel
Offset 63 g/m² para Editora Vida.